Le Guerchin en France

Le Guerchin
en France

Stéphane Loire
conservateur au
Département
des peintures

Ministère de la Culture,
de la Communication,
des Grands Travaux
et du Bicentenaire

*Éditions de la
Réunion des musées nationaux*

Cette exposition
est présentée
au Musée du Louvre,
Pavillon de Flore,
du 31 mai
au 12 novembre 1990.
La coordination
et la réalisation
ont été assurées par
le Service des travaux
muséographiques
du Musée du Louvre.

Que tous les responsables des collections
qui ont permis par leur généreux concours
la réalisation de cette exposition
soient ici remerciés

Brest	Musée des Beaux-Arts
Chambéry	Musée des Beaux-Arts
Montpellier	Musée Fabre
Nogent-sur-Seine	Eglise Saint-Laurent
Paris	Ecole Nationale Supérieure des Beaux-Arts, Eglise Saint-Thomas-d'Aquin, Musée du Louvre Département des arts graphiques
Rennes	Musée des Beaux-Arts
Rouen	Musée des Beaux-Arts
Strasbourg	Musée des Beaux-Arts

ISSN 0768-4150
ISBN 2-7118-2327-X
© Éditions de la
Réunion des musées nationaux
1990
10 rue de l'Abbaye
75006 Paris

en couverture
Le Guerchin
La résurrection de Lazare
vers 1619
Musée du Louvre
photo éditions Scala

Que Pierre Rosenberg, Conservateur en chef du Département des peintures, et Michel Laclotte, Directeur du Musée du Louvre, soient ici remerciés d'avoir accepté de présenter cet hommage au Guerchin dans le cadre des Dossiers du Département des peintures.

Le projet de cette exposition a reçu, à toutes ses étapes, un soutien enthousiaste et chaleureux de Sir Denis Mahon, le maître des études sur le Guerchin, qui a bien voulu accepter d'accompagner son catalogue d'une introduction.

L'organisation et la présentation de l'exposition ont bénéficié du concours de O. Bonfait, J. Bret, E. Brugerolles, G. Brunel, N. Chanchorle, E.-M. Chanut, J.-L. Charmet, C. Clément et son équipe, D. Cordellier, O. Cortet, J. Courtemanche et son équipe, P. Coutom, J.-P. Cuzin, C. Desmazières, F. Dijoud, M.-M. Dubreuil, M. Eidelberg, A. Emiliani, J. Foucart, E. Foucart-Walter, J. Fritsch, Y. Gagneux, C. Haffner, C. Ibach, F. Joulie, J. Kagan, A. Lautraite, H. Mège, M. Mengant, H. Meyer, J. Murtagh Frankel, C. Personne, C. Piel, V. Pomarède, B. Rolland-Villemot, N. Turner, C. van Tuyll, D. Vila, N. Volle, la Galerie Wildenstein de Londres, J. Young.

Enfin, la restauration de deux des tableaux présentés à l'exposition a été rendue possible grâce à une contribution généreuse de la Florence Gould Foundation de New York.

cat I

La résurrection de Lazare

vers 1619

Musée du Louvre

cf page 31

cat 3
Saint François en extase
avec saint Benoît et un ange musicien
1620
Musée du Louvre
cf page 38

cat 11

Saint Pierre pleurant devant la Vierge dit aussi
Les larmes de saint Pierre
1647
Musée du Louvre
cf page 60

cat 15
Loth et ses filles
1651
Musée du Louvre

cf page 72

cat 16

La Vierge à l'Enfant avec quatre saints
saint Géminien, saint Jean-Baptiste, saint Dominique et saint Pierre Martyr
dit aussi *Les saints protecteurs de Modène*
1651   Musée du Louvre

cf page 75

cat 10

La Vierge à l'Enfant

vers 1645-1650

Musée du Louvre

cf page 57

cat 40

La Vierge à l'Enfant avec saint Dominique

Musée du Louvre, Cabinet des dessins

cf page 103

1
Le Guerchin
La mort de Didon
1631
Rome   Galleria Spada

Sir Denis Mahon

Avant-propos

Le Guerchin et la France

L'histoire des rapports de l'œuvre du Guerchin (Giovanni Francesco Barbieri, 1591-1666) avec la France commence du vivant de l'artiste et montre qu'il connut très vite une grande faveur dans ce pays. Les premières mentions d'importance du peintre sont celles d'une série de lettres que la reine Marie de Médicis échangea en 1629 avec le cardinal Bernardino Spada. Après avoir été nonce apostolique en France de 1624 à 1627, celui-ci occupait alors la charge de légat du pape à Bologne et la reine, désireuse de faire orner son palais du Luxembourg d'une galerie dédiée à son défunt mari le roi Henri IV, lui avait demandé de convaincre Guido Reni, l'artiste bolonais le plus fameux du moment, de venir à Paris pour cette entreprise. Recueillant le refus de celui-ci, il le transmit à la reine le 23 juillet 1629 en avançant, pour le remplacer, le nom du Guerchin, peintre *"Très estimé en Italie, plus jeune et de nature plus assidue au travail"* [1]. Le 23 août suivant, la reine répondait à Spada en lui demandant un exemple *"de ce qu'il sçait faire"*. En raison des événements qui troublèrent la fin du règne de Marie de Médicis et entraînèrent sa fuite à l'étranger, le 18 juillet 1631, le grand tableau peint à cette occasion, la

Mort de Didon (fig 1), ne lui parvint pas et resta en possession de Spada **2**. Il fut pourtant très vite connu en France et, vers 1633, le maréchal Charles Ier de Créquy, ambassadeur du roi Louis XIII auprès du pape Urbain VIII, s'entendait avec le cardinal Spada afin que celui-ci laisse exécuter une copie d'après la *Mort de Didon* emmenée depuis à -Rome **3**. Quelques années plus tard, en 1639, le Guerchin reçut une autre invitation, cette fois de Louis XIII, lui proposant de venir travailler en France ; mais il refusa, en justifiant notamment son refus par celui déjà présenté à une demande similaire de la part du roi d'Angleterre Charles Ier **4**.

Entre temps, la renommée du Guerchin était devenue assez grande en France pour qu'il reçoive plusieurs commandes de collectionneurs français, souvent eux-mêmes en rapport étroit avec l'Italie. C'est ainsi qu'il peignit en 1634 à la demande de Barthélémy Lumague, financier et marchand italien installé à Lyon, et pour la chapelle de sa famille dans l'église du couvent des Carmes déchaussés de Lyon, le grand tableau du *Christ apparaissant à sainte Thérèse (fig 2)* **5**. Lumague avait probablement fait office de banquier pour la reine Marie de Médicis, pour l'achat à

Bologne de l'*Enlèvement d'Hélène* de Guido Reni avant sa fuite en 1631, et c'est peut-être sur la suggestion de Spada qu'il fit appel au Guerchin pour peindre le tableau de Lyon : celui-ci, le premier dont l'arrivée en France soit documentée, devait y être admiré jusqu'à la Révolution française **6**. Pour son frère Charles Lumague, le Guerchin devait d'ailleurs, en 1642, peindre deux autres tableaux : une *Sainte Cécile (cf cat 7)* et une toile montrant la *Justice et la Paix* dont nous ne savons plus rien **7**.

Parmi les commandes françaises qui suivirent celle de Lumague en 1634, la plus importante fut sans doute celle du collectionneur parisien Louis Phélypeaux de La Vrillière, secrétaire d'Etat de Louis XIII qui, en 1637, reçut les *Adieux de Caton d'Utique* (Marseille, Musée des Beaux-Arts ; *fig* **33**), commandé en 1635, peut-être sur le conseil de Lumague. Il fut suivi de deux tableaux que le Guerchin lui livra en 1643 (*Coriolan supplié par sa mère*, Caen, Musée des Beaux-Arts ; *fig* **34**) et en 1645 (*Hersilie séparant Romulus et Tatius* ; **cat 9**). Avec l'achat de *L'enlèvement d'Hélène* de Guido Reni (Paris, Musée du Louvre), ainsi que les tableaux commandés à Nicolas Poussin, à Pierre de Cortone, et à d'autres peintres italiens, La Vrillière pouvait présenter, dans la galerie de son hôtel parisien qui fut dispersée à la Révolution, un groupe sans équivalent hors d'Italie de toiles du Guerchin peintes pour un seul amateur **8**.

D'autres tableaux du Guerchin parvinrent très tôt en France sous la forme de cadeaux diplomatiques. C'est ainsi qu'en 1639, le cardinal de Richelieu reçut de deux cardinaux Barberini, tous deux neveux du pape Urbain VIII, une *Madone* et une *Tête de Moïse* **9**. La même année, le marquis Bentivoglio commandait au peintre une *Charité*

2
Le Guerchin
Le Christ apparaissant à sainte Thérèse
1634
Aix-en-Provence   Musée Granet

14

romaine pour l'offrir au cardinal de Mazarin puis, en 1644, un *Céphale et Procris* pour être offert cette fois à la reine Anne d'Autriche [10]. Celle-ci en fit don à son tour à Mazarin qui, en 1646, commandait lui-même au peintre un *Vénus et Adonis* pour lui servir de pendant et, la même année, un *Reniement de saint Pierre* et une *Marchande de fruits* [11]. Collectionneur avide et, semble-t-il, grand amateur du Guerchin – l'inventaire de sa collection dressé en 1653 recensait 13 tableaux de l'artiste [12] –, Mazarin avait entre temps reçu du cardinal Antonio Barberini un grand *David et Abigaïl* exécuté en 1636 et qui, entré par la suite en possession du duc d'Orléans, devait passer en Angleterre à la fin du XVIIIe siècle avec l'ensemble des collections d'Orléans [13].

Deux autres grands tableaux commandés au peintre par des français méritent d'être signalés : en 1644, il exécutait pour Monsieur des Hameaux, ambassadeur du roi de France à Venise, une grande *Pietà* (Autun, Cathédrale Saint Lazare ; *fig 61*) qui, acquise pour le compte de Louis XIV en 1666, orna, jusqu'à la Révolution, une chapelle de l'église du couvent du Val-de-Grâce à Paris [14]. Enfin, en 1647, le Guerchin livrait pour un autre amateur français, le maréchal de Plessis Praslin, duc de Choiseul, un *Angélique et Médor* aujourd'hui non localisé [15]. S'il faut noter qu'une partie seulement des tableaux commandés au Guerchin par des amateurs français sont encore conservés en France, d'autres y parvinrent très vite par le biais des collectionneurs dont l'intérêt pouvait être suscité par l'attention que portaient au peintre les auteurs d'écrits théoriques sur l'art ou les récits des voyageurs : de retour de Rome au cours des années 1650, Charles-Alphonse Dufresnoy s'arrêta à Bologne pour discuter avec le Guer-

chin de son grand poème *De Arte Graphica* tandis que Balthazar de Monconys, revenant lui aussi de Rome, le rencontrait le 6 mai 1664 et commentait chaleureusement son *Saint Guillaume d'Aquitaine* [16]. Au même moment, rencontrant également le peintre, un autre encore cherchait à lui acheter une de ses œuvres : Raphaël Trichet du Fresne, le premier éditeur du *Traité de la peinture* de Léonard de Vinci, parvint ainsi, le 22 décembre 1660, à faire l'acquisition d'une *Présentation au temple* peinte sur cuivre en 1623 et aujourd'hui en possession de l'auteur de ces lignes (*fig 3*). Le Guerchin l'avait auparavant gardé dans sa propre chambre à coucher, ayant jusque là refusé de s'en défaire – en dépit des demandes successives du duc de Modène, du cardinal-prince Léopold de Médicis et du cardinal Antonio Barberini – et il la vendit à Trichet du Fresne, pour la somme considérable de 1 500 *scudi* et la promesse de l'envoi d'une copie du *Traité* de Léonard de Vinci qu'il lui fit parvenir avec une dédicace flatteuse [17].

Après la mort du peintre, en 1666, l'intérêt pour son œuvre ne se démentit pas et un indice de la vogue du Guerchin peut, à la fin du XVIIe siècle, être cherché dans le nombre de ses tableaux que

3
Le Guerchin
La présentation au Temple
1623
Londres   Collection Sir Denis Mahon
en prêt à la National Gallery

dessins des amateurs Crozat et Mariette, très riches en feuilles du maître. Mais le développement à Paris, vers le milieu du siècle, d'un important marché de l'art intensifiant les mouvements, permet de penser qu'un très grand nombre d'entre eux passèrent alors par Paris : certains partirent en 1744 pour Dresde afin d'enrichir la Galerie de l'électeur de Saxe Auguste III, ou pour la collection de Catherine II de Russie lors de la vente en bloc de la collection Crozat de Thiers en 1772, tandis que d'autres, provenant de la galerie ducale de Mantoue, semblent être arrivés en France au début du siècle [20].

Cependant, vers la fin du XVIIIᵉ siècle, l'acquisition à Naples en 1785, pour le compte de Louis XVI et grâce à l'entremise de Vivant Denon, de la *Résurrection de Lazare* (**cat 1**), consacrait la faveur du peintre auprès des collectionneurs français de l'Ancien Régime. Alors que le comte d'Angiviller, Surintendant des Bâtiments du Roi et inspirateur de cette acquisition, projetait d'ouvrir au public les collections royales dans l'enceinte du Louvre et s'efforçait de les enrichir par une série d'acquisitions importantes, l'achat de cette grande toile du Guerchin montrait qu'une forte présence de ses œuvres était jugée indispensable à toute grande collection.

Mais, peu de temps après, un témoignage plus éclatant encore de l'estime dans laquelle l'œuvre du peintre était tenu en France est celui que constitue le nombre et la qualité de ses tableaux qui arrivèrent à Paris en 1797, à la suite des campagnes militaires de la Révolution française en Italie. Plus de 30 tableaux parvinrent alors en France, parmi lesquels plusieurs de ses chefs d'œuvre dont le *Saint Guillaume recevant l'habit* prélevé à Bologne ou la colossale *Sainte Pétronille*

possédait le roi Louis XIV. Dans l'inventaire de sa collection dressé en 1683, on ne compte pas moins de six tableaux reflétant la diversité des modes d'acquisition de la collection royale : un *Paysage aux baigneuses,* un *Paysage avec Hercule qui tue l'hydre* et une *Vision de saint Jérôme* (**cat 2**) provenaient du banquier Jabach, ce troisième tableau ayant ensuite appartenu à Loménie de Brienne, tandis que *Les larmes de saint Pierre* (**cat 11**) avait été acquis d'un marchand parisien en 1682, et que la *Circé* (**cat 20**) avait été offerte au roi en 1665 par le prince Don Camillo Pamphili avec l'attribution trop flatteuse au Guerchin lui-même, cette toile revenant en fait à son atelier [18]. C'est en 1685 que l'on peut trouver la première notice biographique et artistique du maître publiée en France, celle de Félibien, dans ses *Entretiens* sur les peintres : il mentionne pour la première fois l'existence à Lyon, dans la collection de l'abbé Mey, d'une paire de tableaux peints pour le pharmacien Zanoni, en 1651 (**cat 14**) et 1655 [19].

Nous avons peu d'informations sur la présence d'autres tableaux du Guerchin en France dans la première moitié du XVIIIᵉ siècle, alors que se constituaient les deux grandes collections de

4
Le Guerchin
Saint Grégoire le Grand avec
saint Ignace de Loyola et saint François Xavier
vers 1625 — 1626
Londres   Collection Sir Denis Mahon

peinte pour un autel de la basilique Saint-Pierre de Rome [21]. Ces tableaux du Guerchin furent exposés au Muséum Central des Arts en 1798, où ils étaient venus rejoindre ceux provenant des collections royales ou des saisies d'émigrés [22], et une specta-culaire collection de ses œuvres fut ainsi rassemblée mais pour une courte durée : certains furent vite envoyés dans les musées nouvellement créés dans des départements français (et notamment à Bruxelles et Mayence), et 14 furent retournés à l'Italie en 1815, tandis qu'une toile importante, le premier tableau d'autel du Guerchin, a malheu-reusement disparu à ce moment [23].

L'art du Guerchin restait cependant rela-tivement bien représenté au Louvre et la seule addition, après la fin de l'époque napoléonienne, fut *Loth et ses filles* (**cat 15**) qui fut acquis en 1817. Ainsi, lorsqu'en 1828 le baron Mathieu de Faviers proposa au musée de lui vendre un tableau d'autel qu'il avait acheté en Espagne, les experts du musée déconseillèrent cet achat, notamment pour le motif surprenant qu'ils doutaient qu'il s'agisse bien d'une œuvre du Guerchin [24]. Quant il fut par la suite proposé aux enchères lors de la vente, en 1837 à Paris, de la collection du baron de Faviers, il fut acquis pour le compte du duc de Sutherland. Et lorsque la collection Sutherland fut mise en vente en 1908, l'un des enchérisseurs n'était autre que Roger Fry, le critique d'art anglais bien connu agissant alors au nom du Metropolitan Museum de New York, qui tenta peu après, mais sans succès, de l'acheter à l'amateur anglais qui l'avait acquis. Enfin, à la vente des collections de ce dernier, un certain nombre d'années plus tard, il parvint en ma possession (*fig* 4) [25].

Non seulement n'y eut-il plus d'acquisi-tions d'œuvres du Guerchin par le Louvre durant le XIXe siècle après 1817 mais cette stagnation s'accompagna, dans le courant du siècle, d'un déclin marqué de l'intérêt — non pas, bien sûr, limité à la France — pour la peinture italienne du XVIIe siècle, conséquence d'une transformation du goût trouvant sa source dans la "redécouverte" de l'art antérieur à la Renaissance classique. Ainsi, un grand nombre de tableaux du *Seicento*, dont plu-sieurs du Guerchin, furent relégués en réserve, une situation que Louis Dimier dénonça vigoureuse-ment en 1912 dans un article intitulé "Le Louvre invisible" [26].

Toutefois, une œuvre importante du Guer-chin était parvenue à maintenir sa présence dans le Salon Carré — qui était alors une sorte de tribune d'honneur —, lorsque je commençais moi-même à m'intéresser au maître dans les années 1930. Il s'agit du grand tableau d'autel représentant la *Vierge à l'Enfant avec quatre saints* (**cat 16**) que j'ai été intéressé de découvrir accrochée, précisément dans la position où je le vis, dans une *Vue du Salon Carré* (*fig* 5) peinte par Alexandre Brun vers 1882-1885 et actuellement présentée dans les salles

5
Alexandre Brun 1854 ? — après 1895
Vue du Salon Carré du Louvre
vers 1882 — 1885
Paris   Musée du Louvre

Le renouveau d'intérêt, après la Seconde Guerre mondiale, pour la peinture bolonaise du XVIIᵉ siècle, est en grande partie dû à la série d'expositions organisée à Bologne par le regretté Cesare Gnudi, un ami cher avec lequel j'eus l'honneur et le plaisir d'être invité à collaborer. La compréhension et le rôle très utile que le Louvre joua invariablement en favorisant ces manifestations furent cruciaux et vivement appréciés par Gnudi et tous ceux que cela concernait, y compris moi-même. Il était alors clair que, à moins de veiller à l'état de ces tableaux, complètement négligé pendant plus d'un siècle, et de les débarrasser des vernis jaunis qui les défiguraient, les historiens d'art, comme le plus grand public, ne pourraient regarder ces œuvres sérieusement et sans préjudice. Je me rappelle très bien, par exemple, que lorsque l'exposition consacrée aux Carrache eut lieu en 1956, il fut non seulement nécessaire de persuader les responsables du Louvre d'extraire plusieurs œuvres importantes des réserves où elles étaient reléguées, mais encore, de les convaincre de les restaurer dans plusieurs cas. Heureusement, toutes nos demandes furent satisfaites de la manière la plus amicale et il en fut de même lorsque Gnudi me confia la préparation de l'exposition organisée à Bologne en 1968 pour commémorer le troisième centenaire de la mort du Guerchin.

Et maintenant, alors que le Louvre présente une exposition célébrant le quatrième centenaire de sa naissance, je me sens particulièrement honoré d'avoir été invité à fournir pour son catalogue ces quelques notes, qui, d'une manière ou d'une autre, paraîtront pertinentes à son propos.

consacrées à l'histoire du musée. Sa présence déjà ancienne dans cette salle n'était plus guère qu'une marque de respect passé pour le Guerchin, puisqu'elle était accrochée si haut, et était tellement voilée par des vernis jaunis, qu'elle ne pouvait ni être étudiée de près, ni appréciée complètement.

C'est en France en 1934, au tout début de mes études sur le Guerchin, que j'ai eu la chance de pouvoir acquérir mon premier tableau peint par lui. J'étais venu à Paris en quête de ses œuvres (en particulier ses dessins conservés au Louvre où Gabriel Rouchès, alors conservateur du Cabinet des Dessins, encouragea très aimablement le jeune enthousiaste que j'étais) lorsque je fus électrisé de découvrir, dans la vitrine d'un marchand d'art de Saint-Germain-des-Prés, une œuvre majeure de sa jeunesse. Il s'agissait du *Jacob bénissant les fils de Joseph (fig **6**) peint en 1620 pour le cardinal Serra, grand protecteur du Guerchin, et qui avait été publié comme tel par Hermann Voss l'année précédente. Pourquoi n'aurais-je pas tenté alors d'acquérir ce à quoi j'étais intéressé en tant qu'érudit ? Prenant mon courage à deux mains, je décidais d'acheter ce tableau.

6
Le Guerchin
Jacob bénissant les fils de Joseph
1620
Londres   Collection Sir Denis Mahon

1 **Guiffrey** 1876, pp 252-254 ;
Mahon 1968, pp 132-133 ;
Dirani 1982, pp 85-87.

2 **Salerno** 1988, n° 135.

3 **Boyer - Volf** 1988, p 26.
L'inventaire après décès de Créquy (1638)
mentionne également une *"Disputte de
Sainct Hierosme du Guerchin peinct sur
thoille"* estimée 150 livres et dont nous ne
savons plus rien (*ibid* n° CXXIV p 31).

4 **Mahon** 1968, p 133

5 **Salerno** 1988, n° 152

6 **Pérez** 1986, pp 156, 157 ;
Loire 1988, pp 310-311, 317

7 **Malvasia** 1841, II, p 265 ;
La Justice et la Paix fut payée au
Guerchin la somme de 225 ducats
le 16 août 1642 (**Calvi** 1841, p 323) ;
un tel prix suggère qu'il devait s'agir
d'une toile comportant deux figures
entières.

8 Pour les trois tableaux du Guerchin
peints pour La Vrillière, *cf* catalogue
d'exposition Paris, 1988-1989, n°s 84-86 ;
pour l'histoire de la commande de ces
tableaux, *cf* **Haffner** 1988, pp 29-38,
qui néglige cependant les documents
publiés par Dirani (1982) montrant que
l'*Enlèvement d'Hélène* de Guido Reni n'a
sans doute pas été en possession de La
Vrillière avant 1638, voire environ 1642,
et ne saurait donc avoir été le point de
départ de la formation de cette galerie.
Il est probable, par ailleurs, que Lumague
ait lui-même été propriétaire pendant
plusieurs années de la célèbre toile de
Reni et que La Vrillière ait pu, par son
intermédiaire, entrer en relation avec
Le Guerchin.

9 **Boubli** 1985, p 112.

10 **Malvasia** 1841, II, pp 264, 266 ;
Calvi 1841, pp 319, 325.
La *Charité romaine* est perdue,
le *Céphale et Procris* était conservé
à Dresde, Staatliche Gemäldegalerie,
jusqu'à sa destruction en 1945
(**Salerno** 1988, n° 212).

11 **Malvasia** 1841, II, p 267 ;
Calvi 1841, p 327.
Le *Reniement de saint Pierre* est
conservé dans une collection particulière (**Salerno** 1988, n° 231),
la *Vénus et Adonis* était conservée à
Dresde, Staatliche Gemäldegalerie,
jusqu'à sa destruction en 1945
(**Salerno** 1988, n° 237) tandis que
l'on ne sait plus rien de la *Marchande
de fruits.*

12 **Cosnac** 1884, pp 281, 293, 311, 320, 323,
325, 326, 328. L'inventaire de sa collection
dressé en 1661 ne comptait plus que
12 tableaux de l'artiste
(**Aumale** 1851).

13 Le tableau était conservé à Londres,
Bridgewater House, jusqu'à
sa destruction en 1941
(**Salerno** 1988, n° 161).

14 **Salerno** 1988, n° 206 ;
Loire 1988, pp 312-313, 318.

15 **Salerno** 1988, n° 245.
Ce tableau pourrait être celui sur
ce sujet qui se trouvait en 1752
dans l'Hôtel de Lassay
(**Dezallier d'Argenville** 1752, p 363).

16 Sur Dufresnoy,
cf **Félibien** V, 1688, p 283 ;
Mahon 1947, p 58 ;
Monconys II, 1666, pp 428, 485-486 ;
Mahon 1968, p 96.

17 **Mahon** 1968, pp 135-136.

18 **Brejon de Lavergnée** 1987, n°s 257-258,
363, 374, 399, 458.

Le *Paysage aux baigneurs* est à présent
conservé à Rotterdam, Musée Boymans
van Beuningen (**Salerno** 1988, n° 51),
le *Paysage avec Hercule qui tue l'Hydre*
(n° 257) a disparu depuis le XVIIIe siècle,
tout comme le *Saint Jérôme qui se frappe
l'estomac* (n° 363).

19 **Félibien** IV, 1685, p 231 ;
Salerno 1988, n°s 277, 313.

20 Parmi les acquisitions à Paris en 1744
pour la Galerie de Dresde, on peut
mentionner deux tableaux provenant
de la collection de Mazarin, *Céphale
et Procris* et *Vénus et Adonis*
(**Salerno** 1988, n°s 212, 237),
ainsi qu'un *Loth et ses filles*
(**Salerno** 1988, n° 275).
Parmi celles de Catherine de Russie
figurait une *Vision de sainte Claire*,
meilleure copie d'un original perdu
(**Salerno** 1988, n° 39).
Enfin, au nombre de ceux provenant des
collections ducales de Mantoue et présents
à Paris au XVIIIe siècle, il faut citer une
Herminie et les bergers de 1619-1620
maintenant conservée à Birmingham
(**Salerno** 1988, n° 61), le *Loth et ses filles*
du Louvre (**cat 15**), ainsi qu'un *Tancrède
et Herminie* de 1651
(**Salerno** 1988, n° 285).

21 **Blumer** 1936, n°s 42-74 pp 256-260

22 **cat** 1, 2, 7, 9, 11, 19, 20.

23 **Salerno** 1988, n° 3. Les tableaux
Cat 3, 6, 8, 10, 13, 16, 18
sont restés en France.

24 Archives du Louvre, Dossier P5,
5 juin 1828.

25 **Salerno** 1988, n° 112, pp 192-193 :
cf les deux lettres de Roger Fry
adressées à Bryson Burroughs le
22 février et le 12 décembre 1908
(**Fry** édité par D. Sutton 1972,
pp 297, 306).

26 **Dimier** 1912, pp 2-24

Le Guerchin

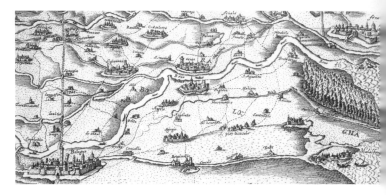

Originaire de Cento, ville située à mi-chemin de Bologne et de Ferrare (*fig* 7), Giovanni Francesco Barbieri (Cento, 1591-Bologne, 1666) qui s'était très tôt vu attribuer le patronyme de *Il Guercino* (le louche) en raison de son strabisme, fit l'essentiel de sa carrière dans sa ville natale. A l'exception d'un séjour à Rome de 1621 à 1623, il ne quitta Cento que pour de courtes durées, avant de s'installer à Bologne en 1642. Mis à part son apprentissage auprès d'artistes locaux, sa formation fut essentiellement celle d'un autodidacte, au contact d'œuvres émiliennes de Ludovic Carrache à Bologne, de Bartolemeo Schedone, l'interprète moderne de Corrège à Parme, ou de Scarsellino à Ferrare. A Cento même, il avait, très jeune, étudié la *Sainte Famille avec saint François* (1591) de Ludovic Carrache qui ornait alors l'église des Capucins à laquelle il devait lui-même reconnaître sa dette et dont on retrouve le dynamisme fougueux et l'exécution fluide dans ses premiers tableaux connus. Ludovic Carrache, le chef de file de l'école bolonaise à cette époque, était d'ailleurs, en 1617, l'un des premiers à s'émerveiller des prouesses de ce jeune prodige *"grand dessinateur et coloriste heureux ; c'est un monstre de nature et un miracle qui étonne ceux qui voient ses œuvres"*[27].

Sa culture émilienne, complétée par un voyage à Venise (1618) où il admira particulièrement Titien, lui permit d'élaborer en quelques années un style naturaliste très personnel, où une touche vibrante construisant les formes en masses colorées (*"gran macchia"*) et un éclairage contrasté font jaillir de l'ombre des figures affleurant la surface du tableau dans des compositions mouvementées (**cat 1-5**). Cette manière fougueuse et "romantique", que devait consacrer le *Saint Guillaume d'Aquitaine recevant l'habit monastique (fig* **8**) de 1620, lui gagna très vite une notoriété dépassant le seul milieu local, tant auprès du clergé auquel appartenaient ses principaux commanditaires, le cardinal Alexandro Ludovisi, le futur pape Grégoire XV, et le cardinal Serra, que des peintres venant travailler dans on atelier, et lui valut d'être appelé à Rome en 1621 par le pape nouvellement élu, Grégoire XV Ludovisi. Il importe de souligner que les "tangences caravagesques" (R. Longhi), les tonalités sombres et les éclairages dramatiques, que l'on peut déceler dans les œuvres du Guerchin peintes avant 1621, relèvent d'un naturalisme dérivé de Ludovic Carrache et non de celui de Caravage dont il aurait difficilement pu voir les œuvres avant son arrivée à Rome.

7
Giovanni Battista Cavazza
Dissegno nuovo dello Stato di Bologna   détail
1643
Paris   Bibliothèque nationale
Département des estampes

Appelé à Rome pour y recevoir la commande du décor de la Loggia de la Bénédiction à Saint-Pierre qu'il ne put exécuter en raison de la mort du souverain pontife (1623), il laissa cependant, en moins de deux ans, quelques œuvres très importantes : la fresque de l'*Aurore* (*fig* **9**) peinte à la voûte du Casino Ludovisi qui, reprenant le thème que Guido Renii avait traité avec élégance et une éloquence idéalisante à la voûte du Casino Rospigliosi (1613-1614), ouvrait, par son espace déjà baroque et son extraordinaire liberté picturale, des perspectives bien plus prometteuses pour l'histoire du grand décor baroque. Quant à son grand tableau achevé en 1623 pour Saint-Pierre de Rome, *Sainte Pétronille ensevelie et accueillie au ciel* (Rome, Musées du Capitole ; *fig* **16**), il montrait les premiers signes d'une réorientation radicale vers un style beaucoup plus classique, influencé par l'exemple de Dominiquin et les théories artistiques de Mgr Agucchi : les plans y sont nettement distingués, la lumière et la couleur mettent en relief les formes au lieu de les dissoudre, et surtout, le robuste naturalisme des années pré-romaines a fait place à une vision plus idéale des individus. Peintre peu enclin aux spéculations intellectuelles, ren-contrant un milieu artistique très fertile en débats théoriques qui ne pouvait que l'amener à des révisions déchirantes, il montra, dans cette commande officielle, le début d'un processus de "correction" de son art dans un sens classicisant qui l'amènera, après son retour à Cento en 1623, à tempérer son impétuosité picturale.

Au cours de la seconde partie de sa carrière, il étudia en effet progressivement ses compositions selon les règles de l'esthétique classique, substituant au dynamisme véhément, à l'éclairage contrasté, aux coloris intenses et aux types rustiques de sa "première manière", une organisation des formes sur des plans rigoureusement différenciés, une lumière diffuse, des coloris pastel et des figures tendant à l'idéal. Cette évolution fut cependant relativement lente, s'étendant sur plus de quarante années, et certains tableaux des années 1625-1630, comme le *Martyre de saint Jean et saint Paul* (*fig* **11**) de Toulouse peint avec la *Visitation* (*fig* **12**) de Rouen pour la cathédrale de Reggio Emilia, montrent encore des types robustes dans la partie inférieure et un coloris intense, tandis qu'apparaissent un souci d'équilibre dans la composition et une conception du rôle de la lumière inconnus avant le séjour romain.

8
Le Guerchin
Saint Guillaume d'Aquitaine recevant l'habit monastique
1620
Bologne   Pinacoteca Nazionale

9
Le Guerchin
L'Aurore
1621
Rome   Casino Ludovisi

Les toiles très nombreuses qui nous sont parvenues de cette seconde partie de sa carrière ne peuvent être jugées de la même façon, et sur les mêmes critères que les tableaux de jeunesse. En effet, le "vrai Guerchin" n'est pas seulement celui dont Matteo Marangoni ne voulait apprécier que l'œuvre de jeunesse, considérant les tableaux d'après 1623 comme les étapes d'une décadence progressive au cours de laquelle le peintre se serait trahi lentement en cherchant à imiter la facture de Guido Reni [28]. Au contraire, ces tableaux font preuve, sur un registre différent, plus apaisé et plus médité que celui des toiles de jeunesse, des mêmes qualités d'émotion sincèrement ressentie et de sensibilité picturale.

S'installant à Bologne en 1642 pour occuper la place de chef d'école laissée vacante par la mort de Guido Reni, le Guerchin adopta progressivement des éléments de la tradition de celui-ci. Sa facture devient alors de plus en plus délicate, découvrant des raffinements annonçant progressivement le XVIIIe siècle, et sa gamme chromatique s'éclaircit pour jouer sur des tons pastel, mais sans atteindre la vision quasi abstraite de son prédécesseur (*fig* 12) [29]. Cette évolution du Guerchin ne

s'accompagna d'ailleurs jamais d'une défaveur de ses contemporains, sa renommée s'étendant au contraire au-delà des frontières et le peintre peignant, avec l'aide d'un atelier important, jusqu'à quinze ou vingt toiles en une année : grands tableaux d'autel pour des églises (*fig* 13) (**cat 3, 13, 16, 18**), sujets historiques ou religieux pour des amateurs (**cat 1, 6, 7, 11, 12, 14, 15, 17**), ou tableaux de dévotion pour des particuliers (**cat 10**).

Notre principale source sur la vie et l'œuvre du Guerchin est la biographie du peintre publiée par Carlo Cesare Malvasia (1616-1693), l'historien de la peinture bolonaise qui publia, en 1678, sa *Felsina Pittrice, Vite de'pittori bolognesi* avec une dédicace à Louis XIV. D'une très grande richesse documentaire puisqu'elle contient une liste, dressée année par année, des principaux tableaux peints par le peintre, cette biographie rédigée par un historien qui connut personnellement le peintre n'est cependant pas exempte d'erreurs ou d'inexactitudes souvent provoquées par le désir de donner davantage de cohérence "littéraire" à son récit. Mais c'est aussi l'une de ses biographies les plus pauvres en anecdotes et les plus hagiographiques parce qu'à l'inverse de celle de Guido Reni par

10

Le Guerchin

La Visitation

1632

Rouen   Musée des Beaux-Arts

11

Le Guerchin

Le martyre de saint Jean et saint Paul

1632

Toulouse   Musée des Augustins

exemple, elle ne présente le peintre que sous un jour favorable, notamment dans sa description sans tache de la personnalité de l'artiste, *"nature agréable, joyeuse, de conversation amusante, d'ardeur infatigable, sincère, ennemi du mensonge, courtois, humble, compatissant, religieux, chaste, assidu aux Sacrements, charitable envers les pauvres, (...) respectueux des religieux, (...) disant du bien de tous"* [30]. Il est certain que l'œuvre du Guerchin ne reflète aucun des tourments ou des défauts que connurent, dans leur existence ou leur carrière, d'autre peintres bolonais comme Annibal Carrache, Guido Reni ou Dominiquin, et qu'une sérénité paisible semble l'avoir habité pendant toute sa vie dont le seul trouble profond a peut-être motivé, à partir du séjour romain, un changement progressif de style pictural ; vivant en accord avec une hiérarchie de principes gouvernant la société de son temps, ce "poète-paysan" qui résolvait par la pratique plutôt que la théorie les problèmes que pouvait lui poser sa création, put ainsi laisser l'un des œuvres peints les plus abondants de son temps. Il ne faut cependant pas perdre de vue les gains importants que son art pouvait lui apporter et auxquels il ne semble pas avoir été insensible, ni l'empressement dont il fit

parfois preuve pour satisfaire de nouveaux clients ou conquérir de nouveaux marchés (*cf* **cat 6, 15, 18**). Insistant sur la dévotion du Guerchin, en ajoutant qu'il fit orner une chapelle de l'église du Rosaire de Cento (*fig* **39**), laissa un testament exemplaire, et se fit enterrer revêtu de l'habit des capucins, le récit de Malvasia voulait promouvoir la "canonisation" du peintre. Celle-ci avait probablement pour but, dans le cadre de son histoire de l'Ecole bolonaise teintée de patriotisme local, de mettre en relief les qualités du "bon" peintre qui n'avait pas cédé à l'attrait de la Ville éternelle mais s'était au contraire volontairement reclus en Emilie, et n'avait vécu que pour son art.

Une autre source pour la connaissance de l'artiste, elle aussi fondamentale, est un document comptable, le livre de comptes du Guerchin tenu de 1629 à 1649 par son frère Paolo Antonio Barbieri, puis, de 1649 à sa mort, par le peintre lui-même. On y trouve mentionnés, dans un ordre rigoureusement chronologique, tous les paiements reçus pour des tableaux peints par l'artiste [31]. Recensant un peu plus de 400 œuvres — dont la moitié environ nous sont parvenues — ce document, dont l'équivalent fait cruellement défaut

12
Le Guerchin
La Circoncision
1647
Lyon   Musée des Beaux-Arts

13
Le Guerchin
La Gloire de tous les saints
1645 — 1647
Toulouse   Musée des Augustins

14
Le Guerchin
Déposition de croix
1639 — 1640
Chantilly   Musée Condé

avant 1629, permet de mettre en évidence le rapport relativement stable durant ces années entre le nombre de figures que comportaient ses tableaux et les prix payés pour ses œuvres, soit généralement 100 ducats d'argent (ou 125 écus) pour une figure entière, 50 pour une demi figure, 25 pour une tête seule, un *putto* ou un ange [32]. Adoptée vers 1630 environ, cette méthode de calcul serait à mettre en relation avec l'abandon d'un style pictural où les figures, paraissant *"inachevées dans certaines parties"* selon Scanelli, n'étaient pas entièrement visibles par l'acheteur du tableau car en partie laissées dans l'ombre [33].

A plusieurs reprises, le Guerchin lui-même et Malvasia défendirent l'idée que les prix du peintre restèrent fixes tout au long de sa carrière. En fait, une étude statistique rigoureuse évaluant, pendant les années couvertes par le livre de comptes, le coût de la figure à partir du rapport entre le prix effectivement payé pour une œuvre et le nombre de figures qu'elle comportait, permet de mettre en évidence des variations dans ces prix résultant de la mobilité, sociale et géographique, de sa clientèle [34]; en dépit d'une renommée solidement établie, une activité régulière de plusieurs décennies pour une clientèle religieuse et laïque l'amena à tenir compte des pressions d'un marché changeant où rencontrant la concurrence d'autres peintres, ou au contraire l'absence de concurrence, il pouvait être amené à tenter de conquérir de nouveaux marchés (*cf* **cat 18**).

Ne peignant pas d'esquisses, le Guerchin préparait soigneusement ses tableaux par des dessins très spontanément ébauchés à la plume dont le caractère expérimental, permettant d'explorer des orientations de composition parfois très différentes, se décèle dans les différences souvent importantes entre les premières esquisses et les solutions finalement retenues (**cat 24, 29-32**). Jusqu'en 1621-1623, on note une affinité étroite entre dessins préparatoires et tableaux achevés ; ce rapport change avec l'orientation classicisante, post-romaine de l'œuvre peint : les dessins gardent la même spontanéité mais celle-ci est fortement tempérée dans les compositions définitives jusqu'à ce qu'au cours des années 1640, le rapport à nouveau étroit entre dessin et œuvre peinte ne révèle l'assimilation complète de la poétique classique par le peintre. Considérant le dessin comme un moyen plutôt qu'une fin, le Guerchin eût cependant, comme les Carrache et peut-être même plus qu'eux, une intense activité de dessinateur sans rapport à l'œuvre peint (**cat 47-56**). Il a ainsi laissé par centaines des paysages, des scènes de la vie quotidienne de ses contemporains ou des caricatures, qui révèlent également sa curiosité sincère et passionnée et font de lui l'un des plus grands dessinateurs du XVIIᵉ siècle.

Ayant préparé ses compositions peintes par des esquisses sommaires ou des études de détail, le Guerchin peignait rapidement ses toiles où apparaissent rarement des repentirs et dans une palette passant de tons denses et saturés dans sa jeunesse à des tonalités plus claires, de plus en plus raffinées, mais où l'on trouve toujours présent le bleu outremer naturel tiré du lapis lazuli, matériau coûteux que les commanditaires lui payaient parfois en plus du prix normal, et à part. La facture elle aussi évolua progressivement, d'une touche sommaire, laissant apparaître le coup de pinceau, à une technique plus lisse, fondant les tons. Mais tout au long de la carrière du Guerchin, ses toiles laissent fréquemment apparaître une surface granuleuse dont la présence, plutôt que par la volonté d'imiter la fresque dans ses tableaux peints sur toile ou par celle de rendre la couleur plus vibrante [35], s'explique par une altération naturelle de la litharge, un oxyde naturel de plomb entrant dans la composition des huiles de peintures [36].

Conçue autour de la présentation des tableaux du Guerchin conservés au Louvre — qui n'ont jamais été exposés ensemble depuis la création du musée et dont moins de la moitié sont habituellement exposés en deux lieux différents — cette exposition a fourni l'occasion, un an avant les célébrations marquant, à Bologne et Cento, le quatrième centenaire de la naissance du Guerchin, de rassembler l'essentiel de ses œuvres conservées en France, même si l'on a laissé de côté la plupart des grands tableaux d'autel (*fig* **10-14**) ou les deux toiles provenant de la Galerie La Vrillière et montrées il y a peu de temps à Paris (*fig* **33, 34**). Les toiles réunies autour de la collection du Louvre — dont plusieurs sont d'ailleurs des dépôts du musée — permettront cependant d'offrir une présentation étoffée du répertoire figuratif et des genres abordés par l'artiste, ainsi que de son parcours stylistique, même si l'on peut regretter l'absence d'œuvres peintes au cours des années 1620 à 1635.

Pour les dessins, le choix a été limité aux collections parisiennes de l'Ecole des Beaux-Arts et surtout, du Cabinet des Dessins du Louvre qui a consenti un prêt important, afin d'offrir, en complément aux peintures exposées, un aperçu de l'activité graphique du Guerchin.

27 Bottari - Ticozzi   I, 1822, pp 288-289

28 Marangoni   1920, pp 17-40 ; 133-142

29 Sur le tableau de Lyon,
cf **Loire**   1988, pp 22-38.

30 Malvasia   1841, II, p 272

31 Calvi   1841, pp 307-343

32 Mahon   1947, pp 53-54

33 Scannelli   1657, p 115

34 Bonfait   à paraître

35 Salerno   1988, p 14

36 Bergeon   1980, pp 21, 84

Le Guerchin et
la littérature artistique
de l'Ancien régime
"Le Rembrant de l'Italie"

JEAN FRANÇOIS BARBIERI
Surnommé le Guerchin

"L'on connoît la difficulté de trouver en petit des ouvrages de ce grand coloriste qui est le Rembrant de l'Italie": rédigeant le catalogue d'une vente qui devait se tenir à Paris le 11 avril 1791, le marchand et connaisseur Jean-Baptiste-Pierre Le Brun n'hésitait pas à comparer le Guerchin à Rembrandt. Les toiles de ces deux artistes étaient également recherchées sur le marché de l'art parisien et Le Brun écrivait quelques années seulement avant l'arrivée des conquêtes d'Italie qui allaient permettre de présenter, à Paris, le plus important rassemblement d'œuvres du Guerchin qui ait jamais été montré en France. Peut-on tenter brièvement de définir la place que le peintre a occupé dans la littérature artistique de l'Ancien Régime (*fig 15*)? Peut-on essayer de passer en revue les opinions que les auteurs français eurent de son art, à une époque où ses tableaux étaient déjà nombreux en France?

La première description imprimée en français d'une œuvre du peintre est, en 1646, celle d'un *"Narcisse qui se mire dans une fontaine, de la main du Guarchin"*, qui figurait dans le *Cabinet de Mr de Scudery*. Il s'agissait là d'une réunion imaginaire d'œuvres qui ne semblent pas forcément avoir

existé — on ne connaît d'ailleurs aucun tableau du peintre sur ce sujet — mais elle révèle que le Guerchin était déjà jugé digne de figurer dans un cabinet de tableaux rassemblant des œuvres des peintres les plus fameux, vivants ou disparus [37]. Surtout, cette première mention atteste du rare privilège, pour un artiste italien, d'avoir vu son nom très tôt francisé, faveur décernée seulement aux plus grands, Raphaël, Michel Ange, les Carrache ou le Guide, mais de surcroît, de l'avoir connu de son vivant. La présence précoce en France d'œuvres du peintre fut d'ailleurs assez vite mentionnée: la *Sainte Thérèse* (*fig 2*) peinte pour Lyon en 1634 était déjà citée par Spon (1673), Bombourg (1675) ou Ménestrier (1694) dans leurs descriptions des curiosités de Lyon [38].

C'est dans les *Entretiens* de Félibien (1666-1688), qui marquent le véritable début en France d'une littérature artistique autonome et "nationale", que l'on trouve la première biographie du Guerchin rédigée en français. Il avait déjà inclus *"Francesco Barbieri d'Aciento dit le Guerchin"* dans un opuscule paru en 1679 et donnant les *Noms des Peintres les plus célèbres* où il était caractérisé comme un *"disciple des Carrache"* qui *travailloit*

d'une manière obscure, & n'a pas esté le plus agréable de cette Ecole" **39**. Mais le texte publié dans le VII⁰ *Entretien* (1685) était une véritable biographie. Une grande partie du texte est empruntée à celui que Malvasia avait publié sept années auparavant, notamment pour la description du caractère du peintre, mais certains passages montrent que Félibien — dont l'analyse des sources stylistiques du Guerchin allait se retrouver dans la plupart des biographies publiées jusqu'à la fin du XVIIIᵉ siècle — avait une connaissance directe de ses œuvres : *"La nature seule a esté sa maistresse, & son genie luy a fourni ce qu'il a fait de plus beau (...) ; si ensuite il eut plus d'inclination pour les uns que pour les autres, il est aisé de juger que ce fut la manière du Caravage qu'il préféra à celle du Guide et de l'Albane qui luy parurent trop foibles, aimant mieux donner à ses tableaux plus de force & de fierté, & s'approcher davantage de la nature, laquelle véritablement il desseigna plus correctement & avec plus de grace que le Caravage. Aussi on peut dire qu'il avait de belles qualitez, & mesme qu'elles estoient grandes et estimables, si on les considere sans les comparer à celles d'autres peintures qui travailloient alors"* **40**. Un peu plus tard, Florent Le Comte range lui aussi le Guerchin parmi les élèves de Caravage dont l'enseignement supposé explique sans doute que le Guerchin *"dessinoit parfaitement & avec beaucoup de génie, mais il avoit peu de grace dans ce qu'il faisoit, & dans les airs de téte ; ses carnations donnoient dans le plombé, & il affectoit se tirer ses jours de fort haut peignant d'une manière forte, qu'il changea sur la fin pour suivre celle du Guide & de l'Albane qui devenoit à la mode"* **41**.

Les jugements de ces deux auteurs étaient donc nuancés, comme devait l'être celui de Roger de Piles qui, lui aussi déconcerté par l'art du peintre, décernait aux vertus morales du Guerchin l'éloge que son talent d'artiste ne méritait pas sans réserve. Dans sa fameuse *Balance des peintres* (1708), où il s'efforçait d'attribuer, par une série de notes chiffrées de 0 à 20, des valeurs relatives aux peintres les plus célèbres, il lui décerna un 18 en "Composition" mais 10 en "Dessein" et en "Coloris", et seulement 4 en "Expression", lui attribuant ainsi l'une des notes les plus faibles des peintres du *"Goust Lombard"*, à égalité avec Lanfranco devant Caravage (28), mais loin derrière Corrège (53), Dominiquin (58), les Carrache (59) ou surtout Raphaël et Rubens (65, **42**).

Les appréciations sur le Guerchin figurant dans la plupart des biographies du peinture parue au XVIIIᵉ siècle, dans des *Dictionnaires* ou des *Abrégés*, diffèrent peu de celles des trois prédécesseurs de la fin du XVIIᵉ siècle dans leurs jugements sur son art. On y trouve parfois, cependant, de légères variantes plus personnelles sur certaines œuvres, comme le jugement de Lépicié sur la *Sainte Pétronille* (fig **16**) : *"parmi ses ouvrages, un des plus renommés ; & c'est avec raison, car il réunit presque toutes les parties de la Peinture, la force du dessein, l'intelligence du clair-obscur & la richesse de la*

16
Nicolas Dorigny d'après **Le Guerchin**
Sainte Pétronille ensevelie et accueillie au ciel
1700
Paris . Bibliothèque nationale
Département des estampes

composition" **43**. D'autres, comme Nougaret (1776), reprennent des anecdotes chez Malvasia comme celle, amusante, de l'origine du strabisme du peintre : *"Le surnom de Guerchin fut donné à cet Artiste parce qu'il étoit louche : un grand bruit le réveillant en sursaut lorsqu'il étoit en nourrice, fut, dit-on, la cause de cet accident"* **44**.

Mais le XVIIIe siècle est aussi l'âge d'or des guides de voyage en Italie où les auteurs, se recopiant souvent les uns les autres, indiquent les principales curiosités artistiques aux voyageurs de passage, en donnant une place non négligeable aux œuvres du Guerchin. Certains d'entre eux rencontrèrent d'ailleurs le peintre encore vivant, à Bologne vers 1650-1660, (Dufresnoy, Monconys), mais dès la publication, en 1690-1699, du *Voyage d'Italie* de Deseine, on trouve une série de descriptions plus ou moins détaillées et souvent élogieuses des principales œuvres du Guerchin visibles en Italies : l'*Aurore* Ludovisi (*fig* **9**) est pour Deseine *"d'une grande force & d'un bon dessein"* **45** tandis que le président de Brosses *"l'estime au moins autant que la fameuse Aurore du Guide ; elle plafonne à merveille : la composition en est également grande et belle ; elle a plus de feu et le ton de couleur est infiniment plus vif, peut-être même est-il un peu noir"* **46**. Nombreux sont ceux qui, entre Ferrare et Bologne, de retour, ou sur le chemin de Rome, s'arrêtent, à Cento pour y voir les œuvres du peintre **47**. Certains, de passage à Plaisance, y admirent les fresques de la coupole de la Cathédrale (*cf* **cat 35**), tandis que d'autres, comme Cochin, s'attardent dans des digressions enthousiastes sur le peintre : *"Quelle fierté de caractère, quelle force & quel moëlleux de pinceau, quelle vigueur de coloris, & quelle hardiesse de tons ne présente pas le* Guercino ! *Quels beaux caractères de têtes ne voit-on pas dans ses*

tableaux ! (...) Ce qu'il a lui est propre : c'est la beauté mâle, & toute la force de la peinture" **48**. Ailleurs, dans les *Lettres à un jeune artiste*, Cochin cite le maître bolonais comme exemple car *"il y a beaucoup de choses à étudier chez lui, moins en le copiant qu'en réfléchissant sur ses productions"* et puisqu'il *"semble avoir quelquefois réuni les qualités qui distinguent deux des plus grands peintres de notre école française, la couleur de* La Fosse *et le caractère de dessin de* Jouvenet*"* **49**.

A la fin du XVIIIe siècle, au moment où se préparait l'éclosion du néo-classicisme, la valeur pédagogique de l'œuvre du Guerchin semble s'être imposée plus fortement que jamais et l'on décèlerait aisément son influence chez des peintres comme Vien, Vincent (*fig* **21**) ou David. Pour Antoine Lescallier, auteur d'un *Poème sur la peinture* paru en 1778, le recours au Guerchin paraissait même indispensable :

"Sors du tombeau, viens étonnant Guerchin
Je te prépare un hommage divin.
Viens présenter a mon ame sensible
Ce stile fier & ces effets si beaux
Que n'offrent point les modernes tableaux,
Fais admirer cette vigueur terrible,
Le desespoir de nos Peintres nouveaux,
A leur pinceau vigueur inacessible
Ton Art, Guerchin, semble être anéanti ;
Cet onctueux ; ce goût mâle de peindre
Souvent blamé de qui ne peut atteindre
Dans ton cercueil demeure enseveli" **50**.

On pourrait multiplier les marques d'estime, parfois nuancées, pour l'œuvre du Guerchin au XVIIIe siècle ; le peintre était loin d'être oublié en France à la fin de l'Ancien Régime et cette renommée explique sans doute en partie qu'il ait été le mieux représenté, parmi les peintres du

Seicento, dans les prélèvements des commissaires de la République française en Italie. Ceux-ci, d'ailleurs, faisaient peut-être leur choix en ayant à la main les guides de voyages de Deseine, Lalande ou Cochin. Le prodigieux rassemblement parisien des œuvres du Guerchin que ces saisies avaient provoqué allait permettre à certains, comme Stendhal, de recevoir la révélation de l'art du Guerchin, le *"plus moderne"* et le *"dernier mort des grands peintres"* qui, appelé à Paris sous Louis XIV, aurait pu transformer par son influence salutaire l'Ecole française alors engoncée dans *"nos défauts naturels"* confirmés par *"le fat nommé Lebrun"* [51]; *"Guetté par l'ignoble"* mais donnant à Stendhal le sentiment d'une commune étude des nuances des passions, son art put, surtout dans sa première manière, jouer le rôle d'appoint esthétique dans la bataille stendhalienne pour le romantisme [52]. Après Stendhal, le Guerchin allait, comme les autres peintres bolonais du *Seicento* qui avaient tant compté pour la pensée artistique française, sombrer lentement dans l'oubli [53]. Puisse cette représentation de ses œuvres aider à le redécouvrir.

[37] **Scudéry** 1646, pp 29-32

[38] **Spon** 1673, p 59 ;
Bombourg 1675, p 95 ;
Ménestrier 1694, p 558.

[39] **Félibien** 1679, p 53

[40] **Félibien** IV, 1685, pp 229-230

[41] **Le Comte** I, 1699, pp 85-86

[42] **Teyssèdre** 1964, pp 111-112, 179

[43] **Lépicié** II, 1754, p 302

[44] **Nougaret** 1776, I, p 435

[45] **Deseine** 1690, II, p 125

[46] **de Brosses** édition 1931, II, pp 65-66

[47] **Lalande** 1786, VIII, pp 247-251

[48] **Cochin** 1758, II, p 189

[49] **Cochin** édition 1836, p 19

[50] **Lescallier** 1778, pp 19-20

[51] **Stendhal** cité par
Berthier 1977, p 118

[52] *Ibid* p 126

[53] Notons, parmi les marques d'estime
pour le peintre dans la première moitié
du XIXe siècle, la présence, dans les livrets
de plusieurs des Salons de l'Académie,
de tableaux représentant la rencontre
du Guerchin et de la reine Christine de
Suède (1822, n° 832, P. Lecomte ; 1834,
n° 464, Mme de Bay et n° 975, J.-B. Goyet).
Ce sujet illustre une anecdote figurant
dans la biographie de Malvasia (1841, II,
p 273) qui avait souvent été répétée par
les biographes français du peintre.

Les dessins de l'exposition
seront successivement présentés
du 1er juin au 20 août
(légendes précédées de *)
et du 22 août au 12 novembre
(légendes précédées de **)

La résurrection de Lazare

vers 1619
toile H 1,99 ; L 2,33
Musée du Louvre
INV 77

historique

Présent dans la collection de la famille Garofali à Naples au XVIIIe siècle ; acquis de cette
collection par Vivant Denon pour le compte
de Louis XVI, 1785 ; exposé dès septembre
1785 dans le Cabinet du Pavillon neuf au
Louvre ; collection du musée du Louvre, 1793.

catalogues

1793, n° 47 ; 1801, n° 833 ;
1810, n° 970 ; 1816, n° 882 ;
1820, n° 934 ; 1823, n° 1007 ;
1831, n° 1036 ;
Villot I, 1849, n° 48 ;
Both de Tauzia 1883, I, n° 42 ;
1903, n° 1139 ;
Ricci 1913, pp 12-13, n° 1139 ;
Hautecœur 1926, II, p 28, n° 1139 ;
Brejon de Lavergnée - Thiébaut
1981, p 187.

bibliographie

Celano 1692, IV, p 58 ;
Cochin 1758, I, pp 194-195 ;
Oretti 1777-1778, n p ;
Landon VI, 1804, pp 77-78, pl 35 ;
Filhol-Lavallée XI, 1828, pl 61 ;
Landon 2e édition, IV, 1831, p 61, pl 31 ;

Ce tableau souffrait d'une mauvaise adhérence de la
couche picturale au support. A plusieurs reprises depuis 1956, des soulèvements de matière ont dû être
refixés. Le phénomène se généralisant, la transposition ancienne de ce tableau a du être reprise. Les archives mentionnent qu'il avait été restauré en 1783
par Godefroid. Parallèlement à ce problème, la vision
de l'œuvre était gênée par un vernis très jauni et des
repeints nombreux et étendus qui cachaient des
usures. L'allégement du vernis et l'enlèvement des
repeints a permis de retrouver une œuvre aux faibles
contrastes chromatiques renforcés par la présence
d'une préparation brune qui lui confère une dominante

assez sombre. La réintégration des lacunes et des
usures a cherché à créer une continuité de structure
en imitant la texture de la matière originale granuleuse
(pigmentation blanche en relief) courante dans les
œuvres du Guerchin.

Nettoyage de la couche picturale par R. Moreira
(Juillet à Septembre 1989 — réintégration de la
couche picturale par R. Moreira et Y. Ortmann, mars à
avril 1990 — reprise de la transposition par Y. Lepa-
vec d'avril 1988 à juillet 1989).

Annick Lautraite
S R P M N

Baruffaldi   II, 1846, p 473 ;
Guiffrey   1879, pp 165-177 ;
Gruyer   1891, pp 250-251 ;
Engerand   1901, p 586 ;
Montaiglon - Guiffrey   XIV, 1905,
pp 1-2, 81-82, 87-88 ;
Guiffrey - Tuetey   1909, p 382 ;
Communaux - Demont   1914, p 74, n° 48 ;
Voss   1922, p 220 ;
Longhi   1926, p 140 ;
Rouchès   1929, p 56 ;
Mahon   1937, p 178 ;
Lelièvre   1942, pp 20-21 ;
Roux   1949, pp 543-544 ;
Mahon   1950, p 102 ;
Mahon   1951, p 57 ;
Réau   II, 1957, p 391 ;
Armand - Calliat   1964, pp 7-8 ;
Longhi   (1926) 1967, p 31 ;
Mahon   1967, pp 26-27 ;
Barbanti Grimaldi   1968, p 92, pl 119 ;
Gnudi   1968, p XXIX ;
Longhi   1968, pp 65-66, pl 31 ;
Mahon   1968, pp 65-66, 75, 82-84 n° 35 ;
Mahon   1969, pp 67-68 ;
Perez Sanchez   1969, p 279 ;
Ferrari   1970, p 1350 ;
Roli   1972, p 22 ;
Berthier   1977, p 116 ;
Marini   1977, p 125 ;
Bean   1979, p 179 ;
Verbraeken   1979, pl 34, p 187 ;
Mahon   1981, pp 173, 175 notes 32, 39 ;
Laclotte - Cuzin   1982, p 229
reproduction couleur ;
Ruotolo   1984, p 47 ;
Mahon - Ekserdjian   1986, p 5 ;
Bagni   1988, p 37, fig 46 ;
Gaehtgens - Lugand   1988, pp 36, 314 ;
Gowing   1988, p 335 ;
Loire   1988, p 316 note 6 ;
Salerno   1988, pp 38, 133, 188 n° 56 ;
Mahon - Turner   1989, p 6 ;
Schleier   dans catalogue d'exposition
Lugano - Rome   1989-1990, p 304.

exposition
Bologne   1968, n° 35.

œuvres en rapport
dessins
Deux études d'ensemble pour la composition
à New York, Metropolitan Museum of Art,
et à Haarlem, Teylers, Museum ; deux études
pour la figure de la sœur de Lazare à
Londres, collection Mahon et Windsor Castle,
collections royales ; une étude pour la figure
du Christ à Florence, Musée des Offices.

copies
France, collection particulière
(H 0,505 ; L 0,505) ;
Faenza, Pinacoteca Civica (reprend la tête
de la sœur de Lazare)

gravures
Giovanni Battista Pasqualini   1621 ;
Matteo Loves (?) XVII° siècle ;
Vivant Denon   1785 ;
Charles-Paul Normand pour le recueil de
Landon   1804 ;
Antoine-François Gelée d'après un dessin
de Joseph-Guillaume Bourdet pour le recueil
de Filhol-Lavallée.

Grâce à une série de lettres échangées entre 1780
et 1785 par Vivant Denon, le comte d'Angiviller
et Joseph-Marie Vien, nous sommes assez bien
renseignés sur les circonstances qui permirent
l'acquisition de ce tableau par Louis XVI, en
1785. Agé de trente-trois ans au moment où
commence cette correspondance, Vivant Denon,
futur directeur des musées impériaux, était alors
le Secrétaire de l'ambassade de France à Naples.
Occupant ses loisirs à former une collection de
vases étrusques, il avait été chargé d'acquérir
pour le roi la *Résurrection de Lazare* du Guerchin, selon lui, "*le plus beau tableau qu'il y ait à
Naples*". Déjà signalé dans cette ville à la fin du
XVII° siècle par Celano dans la collection des
frères Carlo et Francesco Garofali, puis longue-
ment commenté par Cochin dans son *Voyage
d'Italie* - "*bien composé & d'une idée singulière,
très-bien grouppé*" —, il avait attiré l'attention du
comte d'Angiviller, Surintendant des Bâtiments
du Roi, désireux d'enrichir les collections royales
d'un grand tableau du peintre car "*nous n'avons
pas de ce Maître de grands tableaux capitaux et je
pense que c'est ces grands modèles qu'il importe de
conserver sous les yeux*". D'Angiviller demanda à
Vien, alors Directeur de l'Académie de France à
Rome, d'aller voir ce tableau à Naples afin de
donner son avis sur sa qualité et pour ne pas
éveiller l'attention de son propriétaire, Denon fit
courir le bruit que Vien, remis d'une récente
maladie et préférant l'air de Naples à celui de
Rome, faisait ce voyage pour sa santé. L'avis
favorable de Vien, et une eau-forte que Denon
avait lui-même gravée directement d'après le
tableau, convainquirent le Surintendant de l'intérêt de cette acquisition. Cependant, en dépit
des marchandages et des ruses de Denon, son
prix ne put, après cinq années, être abaissé en
dessous de la somme considérable de 6 000 ducats. Le vendeur, M. Garofali, prétendait que ses
ancêtres l'avaient obtenu du peintre à Rome

pour "mille écus de Sicile", montant comparable à celui qui fut payé au Guerchin pour la *Sainte Pétronille*, le grand tableau d'autel peint pour Saint-Pierre de Rome en 1623, et donc bien trop élevé pour une œuvre des dimensions de la *Résurrection de Lazare*.

En fait, malgré l'existence de la gravure de Pasqualini gravée à Rome en 1621, le tableau du Louvre a sans doute été peint avant le séjour romain du Guerchin, vers 1619. Bien qu'il ne soit pas cité par Malvasia parmi les œuvres peintes cette année-là, il est tout à fait possible de le rapprocher des œuvres peintes en 1619-1620 pour le cardinal Serra, protecteur du peintre et commanditaire de plusieurs de ses tableaux importants. Originaire d'une riche famille patricienne gênoise, Giacomo Serra (1570-1623) était arrivé à Ferrare en 1615 comme légat du pape, et était à ce titre le représentant suprême du pouvoir temporel du pape Paul V dans une région dont dépendait Cento, la ville du Guerchin. Il avait donc pu prendre connaissance des prodiges du jeune artiste et, en qualité d'amateur éclairé, faire appel à lui [54]. Malvasia rapporte en effet qu'il appela le peintre à Ferrare où celui-ci peignit pour lui un *Saint Sébastien* (Bologne, Pinacoteca Nazionale), un *Samson arrêté par les Philistins* (fig 17) et un *Retour du fils prodigue* (Vienne, Kunsthistorisches Museum) puis, l'appelant de nouveau en 1620, *"d'autres peintures"* dont un *Jacob bénissant les fils de Joseph* (Londres, collection Mahon ; fig 6) et un *Elie nourri par les corbeaux* (Londres, collection Mahon). Ce ne sont d'ailleurs pas là les seuls tableaux du Guerchin entrés en possession de Serra puisque celui-ci avait reçu également, le 8 septembre 1619, *"un très beau tableau"* du peintre offert par la ville de Cento ; ce don inaugurait en fait une tradition qui allait être maintenue pendant toute la carrière du peintre — y compris, et même surtout, après son retour de Rome en 1623 — de présents

aux légats d'œuvres du peintre que lui achetait sa ville natale, le Guerchin étant d'ailleurs pour ceux-ci, et de manière presque institutionnelle, un fournisseur obligé et unique de tableaux au cours de leurs séjours à Ferrare [55].

C'est à Roberto Longhi que revient le mérite d'avoir, dès 1926, associé la *Résurrection de Lazare* aux tableaux peints pour Serra en proposant notamment d'y voir le pendant du *Samson* qu'il ne connaissait alors que par une copie ancienne du musée d'Angoulême. En effet, de formats presque identiques, les deux tableaux présentent des compositions très animées affleurant la surface de la toile, où des figures de tailles comparables s'enchevêtrent et dans lesquelles, grâce à un éclairage latéral créant un puissant effet de clair-obscur, le peintre parvient à créer l'illusion d'une action instantanée, saisie à son moment le plus dramatique. "Tranche de vie" au coloris dense et à la facture libre rendant sensible la consistance des formes et leur mouvement dans l'espace, la *Résurrection de Lazare* s'associe clairement, par *"la rondeur et le relief"* (Malvasia) que Serra admirait dans les figures du peintre de ces années, aux tableaux que le Guerchin avait peints pour lui. Autant que dans les autres de ses toiles, Serra avait pu lui laisser le libre choix de ce sujet pour lui permettre de

pratiquer, de la manière la plus spontanée, le style fougueux et romantique qui convenait si bien au jeune peintre ; mais peut-être aussi avait-il commandé des tableaux sur des sujets rares car ceux-ci pouvaient être mis en rapport, au moins dans son esprit et de manière allusive, avec les problèmes que le légat, conscient de l'importance de son rôle public, s'efforçait de résoudre pour le bien-être de ses administrés : l'assistance aux pauvres de Ferrare, l'approvisionnement de la ville, ou la ségrégation des Juifs de la cité que demandaient les Ferrarais [56].

54 Southorn 1988, p 113

55 *Ibid* p 111

56 *Ibid* pp 113-114

17
Le Guerchin
Samson arrêté par les Philistins
1619
New York Metropolitan Museum of Art

La vision de saint Jérôme

vers 1619 - 1620
cuivre H 0,425 ; L 0,475
Musée du Louvre
INV 82

historique

Collection du cardinal Ludovico
Ludovisi à Rome avant 1633 ;
collection de Jabach ;
collection de Louis-Henri de Loménie,
Comte de Brienne, en 1662 ;
vendu par l'abbé de Saint-Léger à Louis XIV,
par l'intermédiaire du peintre Hérault,
pour 671 livres, le 3 avril 1685 ;
mentionné à Versailles à partir de 1695 ;
collection du musée du Louvre, 1793.

catalogues

1793, n° 364 ; 1801, n° 836 ; 1810, n° 976 ;
1816, n° 887 ; 1820, n° 939 ;
1823, n° 1012 ; 1831, n° 1041 ;
Villot I, 1849, n° 83 ;
Both de Tauzia 1883, I, n° 44 ;
1903, n° 1141 ;
Hautecœur 1926, II, n° 1141 ;
Brejon de Lavergnée - Thiébaut
1981, p 187.

bibliographie

Richardson 1722, p 16 ;
Lépicié II, 1754, pp 305-306 ;
Dezallier d'Argenville II, 1762, p 158 ;
Pernety 1767, p 207 ;
Papillon de la Ferté 1776, p 310 ;
Croze - Magnan 1803, pl 8 ;
Filhol - Lavallée X, 1815, pl 712 ;
Landon 2ᵉ édition, IV, 1831, p 70, pl 43 ;
Baruffaldi II, 1846, pp 469, 473 ;
Brienne (1662) 1873, pp 24 n° 20, 36 ;
Veyran 1877, n° 49 ;
Guiffrey II, 1887, colonnes 584, 663 ;
Engerand 1899, p 196 ;
Guiffrey - Tuetey 1909, pp 10, 66, 308, 399 ;
Communaux - Demonts 1914, p 74 n° 53 ;
Passeri (1772) 1934, pp 354-355 ;
Longhi 1950, p 220 ;
Réau III, 2, 1958, p 748 ;
Longhi (1912-1922) 1961, p 481 ;
Garas 1967, p 344 n° 97, fig 20 ;
Longhi (1926) 1967, p 30 ;
Mahon 1967, pp 27, 61 ;
Mahon 1968, pp 63, 76, 88-90, n° 39,
119-120 ;
Posner 1968, p 607 ;
Mahon 1969, pp 69-70 ;
Pigler 1974, I, p 435 ;
Moura Sobral 1974, pp 14, 16 fig 11 ;
Berthier 1977, p 116 ;
Mahon - Ekserdjian 1986, p 6 ;

Brejon de Lavergnée 1987, n° 458 pp 438-439 ;
Bagni 1988, p 40 fig 51 ;
Gaethgens - Lugand 1988, p 55, fig 3 ;
Salerno 1988, pp 139 n° 60, 158.

expositions

Paris 1960, n° 529 ;
Bologne 1968, n° 39 ;
Paris 1986, n° 73.

œuvres en rapport

dessin

Londres collection Mahon

copies

Très nombreuses copies parmi lesquelles :
Aix-en-Provence musée Granet [57] ;
Ajaccio musée Fesch ;
Bellagio (Italie) Villa Melzi ; autrefois à
Cambridge Fitzwilliam Museum ;
Londres vente de la collection Marshall,
Sotheby's, 1973, n° 77 ;
Milan Pinacothèque de Brera ;
Ornans musée Courbet [58] ;
Oxford Ashmolean Museum
(Provient de la collection du duc d'Orléans,
à Paris au XVIIIᵉ siècle) ; autrefois à
Paris collection du peintre Jean Forest
en 1712 [59] ;
autrefois **Paris** vente de Silvestre,
1810, n° 3 ;
Pommersfelden collection Schönborn ;
Vienne (Isère) musée des Beaux-Arts ;
Vaduz collection Liechtenstein

gravures

Giovanni Battista Pasqualini (vers 1621) ;
François Chauveau (1613-1678) ;
Nicollet (XVIIIᵉ siècle) ;
Alexis Chataîgnier pour le recueil de
Filhol-Lavallée (1815) ;
Louis-Charlotte Soyer pour le recueil
de Landon (1831).

Bien documentée, la provenance de ce petit tableau de dévotion reste cependant en partie inconnue avant son entrée dans la collection de Louis XIV en 1685. Apparaissant dès 1633 dans l'inventaire après décès du Cardinal Ludovico Ludovisi (1595-1632), cette *Vision de saint Jérôme* peinte vers 1619-1620 a sans doute été exécutée pour un proche de son oncle, Alessandro Ludovisi, qui fut pape de 1621 à 1623 sous le nom de Grégoire XV. Alors qu'il n'était qu'archevêque de Bologne, celui-ci avait, en 1617-1618, commandé au Guerchin plusieurs tableaux importants dont un *Loth et ses filles* (El Escorial, Monasterio de San Lorenzo ; *fig 45*) un *Retour du fils prodigue* (Turin, Galleria Sabauda), une *Suzanne et les vieillards* (Madrid, Prado) et un *Saint Pierre ressuscitant Tabithe* (Florence, Galleria Pitti) [60]. Quelques années plus tard, lors de son accession au trône pontifical, il devait appeler le peintre à Rome avec d'autres artistes bolonais et devait notamment lui permettre d'obtenir la commande d'un grand tableau d'autel pour Saint-Pierre de Rome, *L'ensevelissement et les funérailles de sainte Pétronille*. Il y a tout lieu de croire que dans l'intervalle, le Guerchin exécuta pour lui, ou pour des membres de sa famille, des œuvres de petit format comme cette *Vision de saint Jérôme*. La composition de celle-ci fut en

effet gravée à Rome vers 1621 par Giovanni Battista Pasqualini, un disciple du Guerchin qui interpréta fidèlement les compositions peintes du maître, avec une dédicace à Michelangelo Castelli, un Bolonais qui était alors protonotaire apostolique et chapelain de Grégoire XV, et pouvait donc avoir un accès direct aux collections du pape ou celles de sa famille. Enfin, ce petit cuivre figure dans l'inventaire de 1633 avec onze autres œuvres du Guerchin et Ludovico Ludovisi pouvait tout aussi bien le tenir de son oncle dont il hérita en partie — le *Loth* et la *Suzanne* peints pour celui-ci en 1617-1618 figurent dans son inventaire — que l'avoir directement commandé au peintre.

Quittant sans doute rapidement l'Italie, le *Saint Jérôme* Ludovisi dut passer quelque temps entre les mains du banquier et collectionneur colonais Everhard Jabach (Lépicié, 1754) : achetant couramment des tableaux pour les revendre assez vite, notamment à Louis XIV lors des deux grandes ventes de 1662 et de 1671, il semble avoir profité de la dispersion des collections Ludovisi puisqu'il devait notamment acquérir un *Concert* de Spada et une *Sainte Cécile* du Dominiquin, aujourd'hui au Louvre, qui figuraient tous deux dans l'inventaire Ludovisi de 1633 et qu'il revendit au roi en 1662 [61]. Mais

avant d'entrer en possession de celui-ci, la *Vision de saint Jérôme* devait passer dans la collection de Loménie de Brienne qui la mentionna dans une description de sa collection rédigée en 1662 comme une "*œuvre absolument parfaite du Guerchin*" ; enfin, après la mort de Brienne (1684), Louis XIV devait l'acquérir en 1685 de l'abbé de Saint-Léger, par l'intermédiaire du peintre et marchand Charles-Antoine Hérault.

Alors que la plupart des commentateurs de ce tableau l'ont interprété, à raison, comme un saint Jérôme entendant la trompette du Jugement dernier, d'autres (Croze-Magnan) ont proposé d'y reconnaître l'épisode de la « Flagellation du cicéronien » que le saint docteur de l'église raconte lui-même : humaniste fervent, saint Jérôme (347-420) se refusait à lire la Bible dont la langue lui semblait barbare et à laquelle il préférait Cicéron. Une nuit, il fut transporté en songe devant le tribunal du Christ qui lui demanda sévèrement quelle était sa religion. Il dit qu'il était chrétien mais le Christ lui répondit : "Tu mens, tu n'es pas chrétien, mais cicéronien". Et il ordonna aux anges de le fustiger. Quand le saint se réveilla, il sentait encore la douleur des coups sur ses épaules.

En fait, il semble bien ici s'agir de l'autre épisode dans lequel le vieil ermite écoute avec

épouvante la trompette de l'archange, illustration d'une lettre apocryphe qu'on attribuait à saint Jérôme : "Que je veille ou que je dorme, je crois toujours entendre la trompette du Jugement". Inconnu semble-t-il à l'art du Moyen-Age, ce thème fut très fréquemment représenté au XVIIe siècle (*fig* **18**), notamment pour l'ordre des Hiéronymites. Il devint d'ailleurs alors si répandu qu'une trompette apparaissant dans le ciel au-dessus de la tête d'un vieillard suffisait à faire reconnaître saint Jérôme ; pour tout chrétien, le rappel du Jugement dernier que proposait ce thème était un avertissement salutaire [62].

Malgré ses petites dimensions, le cuivre du Louvre surprend par la force avec laquelle sont exprimées la crainte et la stupeur du saint s'éveillant en sursaut au son de la trompette et tentant de se protéger du bras gauche. Éclairé de la droite par une lumière rasante qui laisse son visage dans l'ombre mais accroche la diagonale de son corps grâce à quelques petits rehauts blancs, saint Jérôme commande la composition par son mouvement emphatique que contrebalance celui de l'ange, à la fois vigoureux et élégant. Le tableau est dominé par des tons bleus, d'un outremer très dense dans la description du saint, plus diffus dans le fond de paysage éclairci dont saint Jérôme est séparé par une frise de rochers et de buissons,

18
Ribera
Saint Jérôme entendant la trompette du Jugement dernier
1626
Naples Musée de Capodimonte

19
Le Guerchin
La vision de saint Jérôme
vers 1621
Moscou Musée Pouchkine

tandis que seule la tunique rouge posée sur ses jambes rappelle sa vocation de cardinal-docteur de l'Eglise, avec le crâne posé dans l'ombre d'un épais folio.

Ce tableau est l'une des premières des nombreuses représentations de saint Jérôme que devait donner le Guerchin (cf **cat 12, 13**), une autre version du même thème peinte moins de deux années plus tard, sans doute au début du séjour romain, en proposant d'ailleurs une interprétation peut-être moins audacieuse et déjà plus contrôlée (*fig* **19**). Cette abondance des illustrations d'épisodes de la vie du docteur de l'Eglise est peut-être à mettre en rapport avec une volonté précise de la part de leurs commanditaires, souvent hommes d'églises ou cardinaux comme l'était Ludovico Ludovisi : depuis le XIIIe siècle, les cardinaux, jouant un rôle de plus en plus important au sein de l'église, choisirent fréquemment saint Jérôme comme protecteur, probablement parce qu'il était le seul parmi les docteurs de l'Eglise latine à n'être pas évêque ; protecteur des cardinaux mais aussi des hommes de loi, il devait vite connaître une étonnante popularité et éclipser les autres docteurs [63].

Sans doute très tôt connue en France après son arrivée dans la collection de Louis XIV, la *Vision de saint Jérôme* du Guerchin ne dut pas manquer de marquer des peintres cherchant, au XVIIIe siècle, parmi les maîtres du *Seicento*, des exemples de vigueur : outre Jean-Baptiste Deshays (*fig* **20**) et Joseph-Marie Vien qui s'inspirèrent indirectement de cette composition, un de leur contemporain, François-André Vincent, n'hésita pas à la reprendre presque textuellement (*fig* **21**). Mais ce fut peut-être alors par l'intermédiaire de la copie ancienne de la collection du duc d'Orléans à Paris, sans doute plus accessible que la version du Louvre qui était alors conservée à Versailles [64].

57 Inv 860.1.247. H 1,38 ; L 0,75 ; se trouvait peut-être en 1770 dans la collection de Gaillard Longjumeau à Aix *cf* **Boyer** 1965, pp 105-112

58 H 0,455 ; L 0,540. Peinte par Gustave Courbet vers 1842 *cf* **Fernier** 1978, n° 3

59 **Rambaud** II, 1971, p 814

60 **Salerno** 1988, nos 32, 33, 34, 45

61 **Brejon de Lavergnée** 1987, nos 52-53

62 **Mâle** 1972, pp 502-503

63 **Russo** 1987, pp 51-58

64 A moins que l'intermédiaire n'ait été la gravure de Pasqualini qui fut incluse dans le recueil *Tableaux du Roy*, II, 1686, et qui est inversée par rapport à l'original, comme les compositions des tableaux de Deshays et de Vincent.

20
Jean-Baptiste Deshays
La vision de saint Jérôme
Versailles Cathédrale Saint-Louis

21
François-André Vincent
La vision de saint Jérôme
Montpellier Musée Fabre

*Saint François en extase
avec saint Benoît et un ange
musicien*

1620
toile H 2,62 ; L 1,805
Musée du Louvre
INV 83

historique

Peint en 1620 pour la chapelle de la famille
Dondini de l'église Saint-Pierre de Cento ;
retiré par les commissaires de la République
française et emporté en France, 1796 ;
collection du musée du Louvre, 1797.

catalogues

1801, n° 846 ; 1810, n° 979 ; 1816, n° 888 ;
1820, n° 940 ; 1823, n° 1013 ; 1831, n° 1042 ;
Villot   I, 1849, n° 243 ;
Both de Tauzia   1883, I, n° 45 ;
1903, n° 1142 ;
Ricci   1913, p 13 n° 1142 ;
Hautecœur   1926, II, n° 1142 ;
Brejon de Lavergnée - Thiébaut   1981, p 188.

bibliographie

Malvasia 1678, II, p 364 ;
Baruffaldi 1754, p 22 note 13 ;
Monteforti 1755, n p ;
Righetti 1768, p 17 ;
Lebrun 1798, p 41 ;
Notice..., 1798, n° 71 ;
Calvi 1808, p 16 ;
Calvi 1841, pp 285-286 ;
Malvasia 1841, II, p 260 ;
Baruffaldi II, 1846, p 473 ;
Atti 1853, p 127 ;
Atti 1861, p 53 ;
Venturi 1891, p 419 ;
Communaux - Demonts 1914, p 74 n° 54 ;
Voss 1922, p 217 ;
Heil 1927, p 78 ;
Posse 1929, p 355 ;
Rouchès 1929, p 56 ;
Stendhal 1932, p 44 ;
Blumer 1936, n° 61 pp 258-259 ;
Mahon 1947, pp 25-26, 28, 104 note 175 ;
Bialostocki 1957, pp 681-705 ;
Bialostocki - Walicki 1957, pp 510-511 ;
Grimaldi 1957, pl 46 ;
Réau 1958, II, 1, p 532 ;
Marangoni 1959, p 11 ;
Griseri 1961, p 432 ;
Comitato Cento 1966, pp 38-39 ;
Longhi (1926) 1967, p 29 ;
Barbanti Grimaldi 1968, pl 119 ;
Mahon 1968, pp 76, 101-103 n° 45, 112, 139 ;
Sutton 1968, p 326 fig 8 ;
Posner 1968, pp 593 fig 1, 600 ;
Valogne 1968, pp 56-57, pl couleur ;
Perez Sanchez 1969, p 279 ;
Benedict 1970, p 34 ;
Miller dans catalogue d'exposition
Chicago-Minneapolis-Toledo 1970, p 118 ;
Boyer 1971, p 80 ;
Tzeutschler Lurie 1972, p 102 note 26 ;

Teodosio 1974, pp 31-32 ;
Berthier 1977, p 115 ;
Borea 1979, p 778 ;
Merriman 1980, pp 166, 199, 265, 299 ;
Wittkower (1958) 1980, p 88 ;
Mahon 1981, p 234 note 6 ;
Baligand dans catalogue d'exposition
Dunkerque-Douai-Lille-Calais-Paris
1985-1986, p 70 ;
Bagni 1988, p 50 fig 67 ;
Brejon de Lavergnée - Volle 1988, pp 114, 192 ;
Loire 1988, p 307 ;
Prohaska 1988, p 686 ;
Salerno 1988, pp 24, 26, 48, 50, 68, 123, 151 n° 71, 152, 180 ;
Mahon - Turner 1989, p 180.

exposition
Bologne 1968, n° 45

œuvres en rapport
dessin
Un dessin préparatoire disparu est connu par la contre-épreuve le reproduisant conservée à Windsor Castle, collections royales.

répliques
Dresde Staatliche Gemäldegalerie (*fig 22*) ;
Varsovie Muzeum Narodowe.

copies
Bologne collection Boni Maccaferri (attribuée à G.M. Crespi) ;
Bucarest musée d'art ;
Crémone collection particulière (attribuée à Crespi) ;
autrefois à **Rome** collection Ludwig Pollak ;
Soissons musée des Beaux-Arts (dépôt du Louvre, 1872) ;
Venise collection particulière

gravures
Pasqualini (1623) ;
Anonyme XIXᵉ siècle (Bibliothèque nationale, Cabinet des Estampes, Bd 34, fol 52).

Mentionnant, dans sa biographie du Guerchin, ce tableau parmi ceux peints en 1620, Malvasia introduit une confusion en semblant faire référence à deux œuvres différentes : *"Il fit un saint François à Saint-Pierre de Cento, avec un ange jouant du violon et un autre [tableau] d'un saint Benoît"*. En fait, les sources locales du XVIIIᵉ siècle mentionnent toutes un tableau avec les deux saints, et non deux tableaux représentant chacun un des saints. Il est probable que cette confusion de Malvasia résulte d'une interprétation erronée des sources utilisées pour établir sa liste des œuvres du Guerchin figurant dans sa biographie. Ces documents provenaient essentiellement de la Casa Gennari, l'atelier de la famille du peintre, et il avait dû notamment pouvoir y trouver une telle liste établie année par année. Parmi les auteurs du XVIIIᵉ siècle citant le tableau, Righetti, auteur d'une description des curiosités de Cento parue en 1768, le mentionne dans cette église appartenant aux Pères de l'Observance après deux autres toiles du Guerchin, un *Saint Pierre pénitent avec d'autres saints et la Madone de la Ghiara* et un *Saint Bernardin de Sienne et saint François avec la Madone de Lorette*, toutes deux peintes en 1618 [65]. Il ajoute de plus que la toile aujourd'hui au Louvre était placée dans une chapelle appartenant à la famille Don-

dini, pour laquelle le Guerchin devait travailler à d'autres reprises, notamment comme portraitiste **66**.

Inconnu avant la fin du XVIe siècle, le thème du concert angélique de saint François qu'illustre ce tableau devint populaire après le Concile de Trente (1563) et renouvela profondément l'iconographie franciscaine avec ceux de la stigmatisation, de l'extase de saint François supporté par des anges, ou encore celui de saint François adorant le crucifix **67**. Comme les autres scènes, celle-ci s'inspirait en fait d'un épisode de la vie de saint François que racontait saint Bonaventure dans sa *Vie* du saint, ou les *Fioretti* qu'avaient illustrés les cycles narratifs du Moyen Age et de la Renaissance ; mais ces cycles avaient négligé cet épisode de la vision d'un ange musicien plongeant saint François malade dans un état extatique. Privilégiant l'expérience mystique du saint sur la narration des épisodes merveilleux de sa vie, ce sujet connut un immense succès à la fin du XVIe siècle parce que mis en parallèle avec l'apparition d'un ange au Christ pendant l'agonie au Jardin des oliviers, il soulignait, plus fortement qu'un autre, l'analogie entre le Christ et saint François, faisant de celui-ci le saint le plus proche du Christ ayant vécu parmi les hommes.

Alors que dans certaines représentations contemporaines du concert angélique de saint François celui-ci paraît comme assoupi, plongé dans l'immobilité extatique que provoque en lui la musique céleste (*fig 23*), celui du Guerchin, vigoureusement animé, semble au contraire s'être réveillé en sursaut du sommeil dans lequel l'avait plongé sa lecture. Quant à saint Benoît, dont la présence dans cette scène ne se justifie pas, il est peut-être montré dans l'une de ses visions : au cours de l'une d'entre elles, debout sur le seuil de son église, il contempla Dieu dans le ciel qui lui révéla l'avenir en lui montrant tous les ordres religieux qui devaient sortir du sien et couvrir le monde **68**.

Placée au premier plan, dans l'angle inférieur droit de la toile, la masse brune du corps de saint François imprime une direction divergente à la composition. Celle-ci s'anime par ailleurs, en surface et en profondeur, avec les autres diagonales que créent le regard de l'ange dont se détourne saint François ou l'élan divergent de la crosse que tient saint Benoît, les seuls repères stables de la composition étant les éléments architectoniques, le pilastre vertical qui la cale à droite ou le socle de pierre au-dessus duquel l'ange paraît en lévitation. Loin de détailler les formes, la lumière semble au contraire les dis-

soudre dans l'unité atmosphérique qui baigne la toile où dominent des tonalités étouffées mais denses, bruns bistrés, blancs cassés ou outremer. Tandis que la toile du Louvre reflète l'intense sensibilité picturale, à la fois spontanée et sincère, des œuvres pré-romaines du peintre, la répétition de Dresde (*fig 22*), élargie et simplifiée par la suppression de la figure de saint Benoît et sans doute peinte en 1623, montre comment le peintre, après deux ans de séjour à Rome, orientait son art dans un sens classicisant : la composition paraît plus statique et équilibrée, avec une distinction plus précise des plans, la facture plus détaillée donnant davantage de relief aux figures et moins d'atmosphère au tableau.

Sans doute très tôt admirée à Cento, la *Vision de saint François* dont le Guerchin donna une réduction peinte sans doute au même moment (Varsovie), puis la variante plus tardive de Dresde, dut également l'être dans toute l'Italie grâce à la gravure de Pasqualini dont Luca Giordano, notamment, semble s'être inspiré directement **69**. Au siècle suivant, Giuseppe Maria Crespi, le maître de l'École bolonaise du XVIIIe siècle qui interpréta l'œuvre de jeunesse du Guerchin dans un sens polémique, anticlassique, semble bien avoir copié le tableau à plusieurs reprises. Il écrivit d'ailleurs au pape

22
Le Guerchin
Saint François en extase avec un ange musicien
vers 1623
Dresde Staatliche Gemäldegalerie

23
Sigismondo Coccapani
L'extase de saint François
vers 1630 — 1635
Douai Musée de la Chartreuse

Benoît XIV en 1741 pour lui proposer de copier lui-même la *Vision de saint François* et un autre tableau de Guerchin de l'église Saint-Pierre de Cento, afin de les préserver des détériorations ou des menaces de ventes hors de l'église. Enfin, il le reproduisit dans une vue d'un atelier d'artiste, qui est peut-être un portrait de son fils Luigi Crespi (*fig* **24**). Après la venue du tableau en France, celui-ci devait encore servir de modèle pour une caricature du XIXe siècle fustigeant la musique de Wagner ! (*fig* **25**).

65 Salerno 1988, n°s 43, 44

66 Mahon 1981, p 231

67 Askew 1969, pp 280-306

68 Mâle 1972, p 503

69 Prohaska 1988, n° D 57 p 686

24
Giuseppe Maria Crespi
Portrait d'un artiste dans son atelier
vers 1730 — 1740
Hartford   The Wadsworth Atheneum

25
"Un ange croit être agréable à un capucin
en lui jouant de la musique de M. Wagner"
caricature parue dans
Le musée Campana catalogué par Cham
Paris   s.d.

Saint François en méditation

vers 1620
toile H 0,61 ; L 0,51
Montpellier, Musée Fabre
Inv 825-1-129

historique
Donation Fabre, 1825

catalogues
1859, n° 256 ;
Michel 1879, n° 78 ;
Michel 1860, n° 545 ;
1904, n° 618 ;
Joubin 1926, n° 13 ;
Claparède 1968, II, p 101.

bibliographie
Lafenestre - Michel 1878, p 237 ;
Pellicer 1982, I, pp 186 note 122,
187 note 135, II, p 581 ;
Brejon de Lavergnée - Volle 1988, p 192 ;
Loire 1988, pp 307, 308 fig 1, 316-317 ;
Salerno 1988, p 411 n° 356
(reproduit par erreur la copie de Brême) ;
Simon dans catalogue d'exposition New
York, 1989, pp 62-64, fig 2.

œuvres en rapport
dessin
Haarlem Teylers Museum (*fig 26*) [70]

copies
Brême Kunsthalle ;
Milan collection Tabacchi [71] ;
Ponce (Porto Rico) Museum of Art.

Encore peu connu — Luigi Salerno, dans son récent catalogue raisonné de l'œuvre peint du Guerchin, le classe parmi les "originaux possibles, non examinés" — ce petit tableau présente pourtant les caractéristiques d'une œuvre autographe du peintre. Montrant le saint vu à mi-corps, appuyé sur le coude droit et contemplant un crucifix dont on ne devine que la partie inférieure, il s'apparente, par la surprenante proximité que crée le cadrage très serré, par la touche vibrante, vigoureusement empâtée, qui détache la figure sur un fond sombre, et par les rehauts scintillants soulignant l'effet de la lumière sur les mains, le visage du saint ou les plis de son vêtement, à plusieurs des créations les plus ambitieuses des années 1618-1620. Par analogie avec le *Saint François en extase avec saint Benoît et un ange musicien* du Louvre daté de 1620 (**cat 3**), notamment pour la palette à dominantes brunes et mauves, on serait tenté d'assigner une date voisine à la composition du musée Fabre dont plusieurs copies attestent par ailleurs le succès ; celle de Brême, en particulier, dont la calligraphie appuyée des contours, notamment ceux des rides sur le front du saint, ou le caractère appliqué des touches de blanc que crée l'éclairage latéral sur son épaisse robe de bure, contrastant avec la fluidité d'exécution de

la toile du musée Fabre, la reproduit avec une grande fidélité et pourrait avoir été exécutée devant l'original, dans le propre atelier du Guerchin. Il est en effet certain qu'il peignit, tout au long de sa carrière, un grand nombre de ces figures de saints de petit format dont peu nous sont parvenues : le livre de comptes tenu à partir de 1629 mentionne pourtant chaque année plusieurs paiements de particuliers n'y apparaissant souvent qu'une seule fois pour des *"quadri di teste"*. Ces tableaux de dévotion, que des commanditaires peu fortunés payaient fréquemment en plusieurs versements, leur permettaient d'obtenir du Guerchin devenu célèbre, et dont les plus grandes toiles leur étaient inaccessibles, des exemples modestes mais cependant très représentatifs de son art ; ils assuraient en outre au peintre des débouchés commerciaux permanents et stables, susceptibles de lui attirer par ailleurs des commandes plus importantes pour les autels des églises dont ces amateurs étaient les paroissiens.

Attribué au Guerchin dans tous les anciens catalogues du musée, ce tableau, donné en 1825 par François-Xavier Fabre (1766-1837) à sa ville natale, avait sans doute été acquis par lui au cours de son long séjour en Italie, mais vraisemblablement pas avant son accession à une relative

aisance, vers 1798. Il achetait alors, sous des attributions souvent prestigieuses et à des prix modérés, des œuvres parfois assez modestes. L'estimation relativement importante de 1 000 F qu'il donna à celle-ci dans l'*État estimatif* dressé au moment de sa donation, laisse supposer qu'il était conscient de sa qualité ; c'est du moins le seul des quatre "Guerchin" de sa collection aujourd'hui au musée Fabre qui puisse effectivement être reconnue comme une œuvre autographe de l'artiste.

70 Plume et encre brune. H 0,086 ; L 0,114 ; dessin aimablement signalé par Carel van Tuyll.

71 **Barbanti Grimaldi** 1968, pl 120

26
Le Guerchin
Etude pour saint François en méditation
Haarlem Teylers Museum

Le roi David

vers 1620
toile H 0,885 ; L 0,720
Rouen, Musée des Beaux-Arts
Inv 1975.4.90

historique
Donation Henri et Suzanne Baderou, 1975.

bibliographie
Longhi 1968, p 66, pl 54 ;
Marini 1977, p 123 ;
Scott 1977, p 504, fig 1 ;
Brejon de Lavergnée - Volle 1968, p 194 ;
Loire 1988, pp 307, 309 fig 2, 317 ;
Salerno 1988 pp XVIII note 8, 423 n° 375.

expositions
Rouen 1977, reproduction ;
Rouen 1980, n° 205.

Publié en premier par Roberto Longhi, dans son compte-rendu de l'exposition consacrée au Guerchin à Bologne en 1968, ce tableau a été classé dans le catalogue de Luigi Salerno comme une œuvre proche du Guerchin mais qui, malgré sa haute qualité, ne saurait lui revenir. Il est vrai que cette attribution ne repose que sur des critères d'ordre stylistiques et l'exposition du Louvre, en permettant pour la première fois de confronter la toile de Rouen à un ensemble documenté avec précision d'œuvres du Guerchin, devrait permettre de la confirmer de manière certaine. En faveur de cette attribution, il faut noter le cadrage serré de la figure comprimant les formes dans l'espace du tableau et la saisissant dramatiquement dans un instant fugitif, comme capté, de la méditation du vieux roi musicien. Se détachant sur un fond sombre qui s'éclaircit vers la droite dans une gamme de couleurs allant du brun-gris à un vert olive, il est vêtu d'une tunique violette où des empâtements révèlent, comme dans de nombreuses figures du Guerchin des années 1618-1621 (cat 3), l'effet de la lumière latérale créant des reflets dorés. Cette tunique est bordée d'une sorte de galon où paraissent inscrites des pièces d'orfèvrerie scintillantes que l'on retrouverait, par exemple, dans le *Dieu le Père* (*fig* 27) peint en 1620 pour servir

de *sopraquadro* au *Saint Guillaume d'Aquitaine* de la Pinacothèque de Bologne. Outre l'analogie de facture du *Roi David* avec ce tableau, il faut également en souligner l'esprit voisin dans la représentation d'un visage de vieillard barbu, dont les yeux et une grande partie du visage sont très audacieusement laissés dans l'ombre, le front ridé et la barbe où de petits coups de pinceaux font surgir des fils blancs étant les seuls morceaux franchement éclairés, traitement de figures dont on trouverait, dans d'autres tableaux peints vers 1620 (cat 1, 3 ; *fig* 8), des exemples très comparables.

Seule la couronne d'or posée sur la table permet ici de reconnaître le héros biblique, auteur supposé du *Livre des Psaumes*. Plus fréquemment montré jouant de la lyre ou de la harpe dont, jeune encore, il soulageait Saül que tourmentait l'esprit malin (1, *Rois*, 16), il est le plus souvent âgé et barbu, accompagnant lui-même la mélopée de ses Psaumes (*fig* 28). Muet ici, regardant sa couronne dont il s'est décoiffé, il paraît, dans ce tableau à l'iconographie insolite, comme perdu dans une rêverie mélancolique qu'accompagne son violon, méditant peut-être, au soir de sa vie, sur les événements les moins glorieux de sa destinée royale. Les sept autres scènes de la vie de David que nous connaissons

aujourd'hui du Guerchin le montrent toutes jeune, vainqueur de Goliath, ou encore dans sa maturité, avec Jacob et Abigaïl ; si cette toile lui revient effectivement, elle atteste, de la part du peintre encore jeune, un effort affirmé d'élargissement de son répertoire figuratif grâce à un des grands personnages de l'Ancien Testament.

Nous ignorons encore l'origine de la toile de Rouen dont le format très resserré invite à se demander s'il ne s'agit pas du fragment d'une composition plus large, montrant d'autres personnages ; de fait, il faut peut-être la rapprocher de la mention d'un tableau du Guerchin présenté à l'exposition des *Trésors d'art de Grande-Bretagne*, à Manchester en 1857, et montrant "un joueur de violon avec une femme s'adressant à lui" [72].

72 Manchester 1857, n° 358 p 36 : "*A violin player with a female adressing him.* Earl of Portsmouth".

27
Le Guerchin
Le Père éternel avec un putto
1620
Gênes Palazzo Rosso

28
Le Dominiquin
Le roi David
vers 1619 — 1621
Versailles Musée national du Château

Salomé recevant la tête de saint Jean-Baptiste

1637
toile H 1,39 ; L 1,75
Rennes, Musée des Beaux-Arts
Inv D.55.3.3

historique

Commandé au peintre par Lodovico Mastri ; terminé en 1637 pour le duc de Modène qui paie le tableau la somme de 225 écus le 26 janvier 1639 ; mentionné dans la chambre des Songes du palais ducal de Sassuolo, 1692-1694 ; envoyé au palais ducal de Modène, avant 1770 ; retiré par les commissaires de la République française et emporté en France, 1796 ; collection du musée du Louvre, 1797 ; exposé au palais de Compiègne sous l'Empire ; retourné au Louvre, 1816 ; dépôt du Louvre (INV 81) au musée des Beaux-Arts de Rennes, 1956.

catalogues

Louvre
1801, n° 849 ; 1816, n° 886 ; 1823, n° 1011 ; 1831, n° 1040 ;
Villot I, 1849, n° 52 ;
Both de Tauzia 1883, I, n° 43 ; 1903, n° 1140 ;
Hautecœur 1926, II, n° 1140 ;
Brejon de Lavergnée - Thiébaut 1981, p 509.

bibliographie

Malvasia 1678, II, p 371 ;
Pagani 1770, p 119 ;
Descrizione... 1784, p 22 ;
Lebrun 1798, p 47 ;

Ce tableau, peint sur une toile épaisse, assez lâche, à préparation rouge, vient d'être instauré : allégement d'une couche de vernis vieilli, verdâtre et purification de repeints anciens très couvrants, réentoilage classique à la colle de pâte, réintégration.

Le nettoyage a fait redécouvrir la composition faite de transparences mais aussi riches effets de matière, de gris bleuté ou brun, avec quelques plages de couleurs plus franches.

Le réentoilage fut l'étape essentielle. Il a restitué, par la remise dans le plan de la couche picturale dont les écailles commençaient à se chevaucher, l'unité de l'œuvre et a rendu très sensible la légèreté de sa facture.

La réintégration fut minime : le comblement et la mise au ton d'une seule grande lacune dans le fond, et, pour le reste de la surface, la pose de quelques glacis et un repiquage des usures les plus importantes.

Restauration de la couche picturale par Thérèse Prunet.
Réentoilage par Albert Chavanon.
Avec la collaboration d'Odile Cortet pour la notice.

Notice..., 1798, n° 81 ;

Calvi 1808, p 85 ;

Landon 2ᵉ édition, IV, 1831, p 67, pl 40 ;

Calvi 1841, p 318 ;

Malvasia 1841, II, p 264 ;

Mündler 1850, p 105 n° 241 ;

Campori 1855, pp 40-41 ;

Venturi 1882, p 188 ;

Communaux - Demonts 1914, p 74 n° 52 ;

Hoffman 1929-1930, p 188, fig 70 ;

Blumer 1936, n° 67 p 259 ;

Boyer 1970, p 103 ;

Boyer 1970, p 90 ;

Pirondini 1982, pp 94 n° 5, 96 fig ;

Ficacci dans catalogue d'exposition

Ferrare 1983, p 147 ;

Ley 1983, p 79 ;

Bagni 1986, p 195 note 8 ;

Gozzi 1987, p 68 ;

Brejon de Lavergnée - Volle 1988, p 193 ;

Fohr 1988, pp 60-63 ;

Gazette des Beaux-Arts octobre 1988, p 8 fig 12 ;

Loire 1988, pp 310 fig 6, 311, 317-318 note 44 ;

Salerno 1988, pp 26, 66, 256 n° 169 ;

Southorn 1988, p 147 ;

Mahon - Turner 1989, pp 52 fig 18, 53-54, 186, 297.

expositions

Saint-Denis - Tourcoing - Albi - Auxerre
1988-1989, n° 15.

œuvres en rapport

dessins

Un dessin pour la figure de Salomé à Budapest, Szépművészeti Múzeum ; quatre dessins pour le groupe des deux femmes de gauche à Windsor Castle, collections royales.

copies

Deux copies peintes au Louvre en 1851 et 1852 (Archives du Louvre, Registre des copistes, LL 26).

gravures

Francesco Rinaldi (1796) ; Charles-Paul Normand pour le recueil de Landon.

L'un des premiers tableaux que le Guerchin ait exécuté pour le duc de Modène, Francesco Iᵉʳ d'Este, cette *Salomé recevant la tête de saint Jean-Baptiste* lui avait été été commandée par un certain Lodovico Mastri. Ce personnage bolonais semble avoir servi d'intermédiaire financier à plusieurs reprises entre le peintre et plusieurs de ses clients et il joua notamment ce rôle pour certaines de ses commandes "françaises", celle de la famille Lumague (*fig 2*) et celles de Louis Phélypeaux de la Vrillière (**cat 9**). Cependant, dans une lettre du 4 août 1637, alors que cette toile était presque achevée, le peintre écrivait au duc de Modène pour lui dire qu'il avait appris par Alfonso Palettonio, le gouverneur de Cento, que le duc souhaitait avoir ce tableau, et qu'il accéderait bien volontiers à cette demande [73]. Le peintre ne reçut pourtant le paiement du duc que le 26 janvier 1639 et entre temps, il avait exécuté une seconde *Décollation de saint Jean-Baptiste* pour Mastri, sans doute un tableau montrant seulement une demi-figure de Salomé tenant la tête du saint. Ce tableau lui fut payé 105 écus le 20 septembre 1638 et il est aujourd'hui perdu.

Collectionneur dont le nom revient fréquemment dans l'historique de plusieurs des œuvres figurant à cette exposition (**cat 8, 10, 16**), le duc de Modène, Francesco Iᵉʳ d'Este (1610-1658), entretint des relations privilégiées avec le Guerchin. Depuis que la famille d'Este avait dû, à la suite d'une manœuvre du pape Clément VIII, quitter Ferrare pour s'installer à Modène, cette ville, qui s'était peu distinguée par le passé par des entreprises artistiques d'importance, devait connaître diverses époques de mécénat brillant dont Francesco Iᵉʳ fut le promoteur le plus ambitieux. Ce prince de Modène, qui fit peindre son portrait équestre (perdu) par Velazques et sculpter son effigie par le Bernin en 1651, tenta de faire revivre à sa cour la splendeur passée des

Este en faisant notamment reconstruire un nouveau palais à partir de 1635 et en rassemblant une importante galerie de tableaux [74]. Il ne put, comme il tenta de le faire en 1650, acquérir la *Madone de Foligno* de Raphaël mais il parvint à réunir une collection de tableaux anciens, peu importante par la quantité, mais d'un très haut niveau de qualité, et en vue desquels il n'hésitait pas parfois à recourir à des méthodes brutales (*cf* **cat 16**). Amateur sensible, il choisissait avec soin les cadres de ses tableaux ou veillait personnellement à leur bon accrochage dont le médecin et critique d'art Francesco Scanelli donna une description précise, destinée à mettre en valeur son caractère exemplaire, dans son *Microcosmo della pittura* paru en 1651. Parmi les artistes "modernes" qu'il fit travailler, le Guerchin occupa très vite une place de choix dans ses entreprises de mécénat, autant pour sa propre collection que pour des tableaux d'églises destinés à sa ville ou à sa région et pour lesquels il mettait fréquemment en avant le nom du peintre. Probablement lié par des liens d'amitié au Guerchin dont il fut, jusqu'à sa mort, un amateur assidu, il rassembla une impressionnante collection de ses œuvres qui, à la suite des dispersions provoquées par la fameuse vente de 1746 ou des prélèvements de la Révolution française, est aujourd'hui partagée

29
Atelier du **Guerchin**
Bartolomeo et Ercole Gennari ?
Salomé recevant la tête de saint Jean-Baptiste
Cento Pinacoteca Civica

contre le musée de Dresde, les musées français et la Galleria Estense de Modène.

Vers le milieu du XVIIᵉ siècle, la *Salomé* du duc de Modène vint rejoindre, dans la chambre des Songes du palais de Sassuolo, la résidence de campagne de la famille d'Este, d'autres tableaux de Guerchin dont une *Charité romaine*, un *Joseph et la femme de Putiphar* longtemps interprété comme un *Amnon et Thamar* (1631 ; Modène, Galleria Estense), et un *Mars, Vénus et l'Amour* (1634 ; Modène, Galleria Estense). Tous ces tableaux y étaient insérés dans de très riches encadrements de stucs dans une présentation qui fut maintenue jusqu'au cours des années 1760, lorsque le duc de Modène Francesco III fit venir, dans son palais de Modène, un certain nombre de tableaux provenant d'autres de ses résidences ou d'églises de la région afin de remplacer ceux vendus en 1746 à l'électeur de Saxe Auguste III.

L'exécution de ce tableau avait été préparée par plusieurs dessins dont quatre nous sont aujourd'hui connus. Un autre tableau peint dans l'entourage du Guerchin, qui montre *Salomé recevant la tête de saint Jean-Baptiste en présence d'Erodiade* (Cento, Pinacoteca Civica) *(fig 29)* utilise en partie ces dessins préparatoires et invite à penser que des membres de la famille

Gennari, peut-être Bartolomeo et Ercole, ou les deux, les utilisèrent pour peindre cette toile montrant un moment postérieur de l'histoire de Salomé : les multiples dessins préparant chacune des compositions du Guerchin étaient souvent utilisés par ses suiveurs immédiats pour peindre d'autres compositions d'esprit "guerchinesque" mais n'ayant ni les qualités de composition, ni celles d'exécution des propres tableaux du maître.

Le tableau illustre l'exécution de saint Jean-Baptiste racontée dans les Évangiles de saint Mathieu (4, 3-12) et de saint Marc (6, 17-29) : pour avoir dansé devant Hérode, Salomé, la fille d'Hérodiade, eut la promesse d'obtenir de lui ce qu'elle voudrait. Elle réclama la tête de Jean-Baptiste et aussitôt *"le roi envoya un garde en lui ordonnant d'apporter la tête de Jean. Le garde alla le décapiter dans sa prison et il apporta sa tête sur un plat. Il la donna à la jeune fille, et la jeune fille la donna à sa mère"*. Cette épisode connut une très grande faveur au début du XVIIᵉ siècle auprès des peintres, tant auprès des caravagesques que des peintres d'autres écoles. Bien que la plupart de ces œuvres, comme celle du Guerchin peinte pour le duc de Modène, aient été exécutées à des fins profanes, pour des demeures privées et non pour des sanctuaires,

leur abondance s'explique en partie par le renouveau de la spiritualité lié au Concile de Trente qui réaffirma l'importance de la généalogie du Christ, du culte voué à saint Jean-Baptiste, et du martyre.

Par son format oblong et son cadrage à mi-corps, la toile du Guerchin s'apparente à de très nombreux tableaux sur ce sujet, notamment à celle du Caravage conservée à Londres *(fig 30)*. Dès avant son départ pour Rome, le Guerchin avait pratiqué avec prédilection ce type de composition auquel sa méthode de calcul de prix des tableaux fondée sur le nombre de personnages y figurant, qu'ils y soient vus en entier, à mi-corps ou leur tête uniquement, s'adaptait particulièrement bien. Mais l'esprit de cette *Salomé* est très différent de celui des tableaux de jeunesse : au lieu de dissoudre les formes dans l'atmosphère par un brutal clair-obscur, la lumière, diffuse, les détaille précisément, d'autant que le dessin, précis et privilégiant les poses "classiques" de profil, donne à la composition l'aspect d'une frise, clairement articulée en bas-relief ; quant à la couleur, elle évite les contrastes marqués de tons saturés, recherchant au contraire l'équilibre des tons froids — le fond sombre de la pièce ou la culotte verte du bourreau — et des tons chauds — son bonnet ou la manche dorée de Salomé. Mais surtout, le Guerchin a modifié son mode de représentation de l'histoire : non plus l'action saisie de manière fugitive et allusive mais son moment central, capable de résumer à lui seul toute l'histoire.

73 **Venturi** 1882, p 188 ;
Salerno 1988, p 256

74 **Southorn** 1988, p 37

Sainte Cécile

1642
toile H 1,22 ; L 1,00
Musée du Louvre
INV 89

historique

Vraisemblablement la *Sainte Cécile* peinte
pour Charles Lumague en 1642 ; inventoriée
dans une des pièces de l'hôtel de La Vrillière
à Paris, 1672 ; saisi à la Révolution dans cet
hôtel devenu hôtel de Penthièvre, transporté
au dépôt de Nesles et transféré au Muséum
Central des Arts (Louvre), 1794 ; dépôt du
musée du Louvre au musée municipal de
Saint-Brieuc, 1896 ; retourné au Louvre, 1990.
Tableau restauré en 1990 grâce au concours
de la Florence Gould Foundation de New
York.

catalogues

Louvre
Villot   I, 1849, n° 60 ;
Both de Tauzia   1883, n° 51 ;
1903, n° 1145 ;
Hautecœur   1926, II, n° 1145 ;
Brejon de Lavergnée - Thiébaut   1981, p 291.
Saint-Brieuc
Brandt   1906, n° 70.

bibliographie

Waagen   1865, p 238 ;
Furcy-Raynaud   1912, p 321 n° 31 ;
Communaux - Demonts   1914, p 75 n° 60 ;
Mirimonde   1974, p 53 ;
Brejon de Lavergnée - Volle   1988, p 363 ;
("Bologne, milieu du XVIIᵉ siècle").

Traditionnellement attribué au Guerchin, ce tableau peu connu, que la restauration effectuée à l'occasion de l'exposition devrait permettre de reconsidérer, mérite d'être pris en compte comme une œuvre originale du peintre. Avant même cette restauration, cette toile montrait en effet des finesses de dessin, notamment dans le visage et les mains de la sainte, et surtout des nuances de coloris, comme le bleu outremer du voile recouvrant ses genoux, qui l'apparentaient étroitement à la production du Guerchin des années 1640. Par ailleurs, une série de pièces d'archives montrent qu'elle se trouvait dès le XVIIᵉ siècle dans la collection La Vrillière à Paris : il paraît possible de l'identifier avec une *Sainte Cécile* peinte en 1642 pour le collectionneur parisien Charles Lumague pour lequel elle fut payée à l'artiste la somme de 80 écus, le 20 avril 1642 [75]. Frère de Barthélémy Lumague, le commanditaire italien du *Christ apparaissant à sainte Thérèse* peint en 1634 par le Guerchin (*fig 2*), Charles Lumague (Carlo Lumaga) devait, la même année, recevoir également du peintre un tableau représentant la *Justice et la Paix* dont nous ne savons rien mais qui devait comporter deux figures entières [76].

Ce tableau entré au Louvre en 1794, en provenance du dépôt de Nesles, était arrivé dans ce dépôt provisoire des objets saisis chez les émigrés et condamnés après avoir été prélevé dans l'hôtel de Penthièvre, ancien hôtel de La Vrillière [77]. Aucun guide de Paris ne le mentionne dans cet hôtel au XVIIIᵉ siècle mais il se confond sans doute avec une *Sainte Cécile* conservée dans un garde-meubles de l'hôtel avant la saisie de ses tableaux. Celle-ci, à son tour, est sans doute la même qu'*"un tableau sur la cheminée peint sur toile représentant une sainte Cécile jouant de l'orgue"* qui, en 1674, fut prisé trente livres dans la *"Chambre du balcon ayant vue sur le jardin"* (de l'hôtel La Vrillière), dans l'inventaire après décès de Marie Particelli, défunte épouse de Louis II Phélypeaux de La Vrillière. La même toile se retrouvait d'ailleurs encore en 1681 dans l'inventaire après décès de celui-ci [78]. On ignore comment Marie Particelli, issue d'une famille de financiers italiens, était entrée en possession de la *Sainte Cécile* aujourd'hui au Louvre mais les liens qui unissaient sa famille à celle de Charles Lumague rendent vraisemblable l'identification de cette toile avec celle sur ce sujet peint pour Charles Lumague en 1642 par le Guerchin. En effet, lors de la prisée de biens de Michel Particelli d'Emery, père de Marie Particelli, en 1650, certains tableaux ne furent pas estimés car ils étaient réclamés par

une "veuve Lumague" [79] : figurait notamment parmi ceux-ci une copie de l'*Enlèvement d'Hélène* de Guido Reni appartenant à La Vrillière, indice peut-être qu'un membre de famille Lumague avait joué un rôle non négligeable dans l'arrivée en France de ce fameux tableau [80].

Pour conforter le rapprochement de la toile du Louvre avec la *Sainte Cécile* Lumague, on peut ajouter que le format de celle-ci, vue à mi-corps, correspond parfaitement au prix de 80 écus payé par Lumague ; ses dimensions sont également très proches de celles d'une autre *Sainte Cécile* payée au Guerchin en 1649 un total de 75 écus (*fig 31*) [81] ; enfin, elle peut être mise en rapport avec un dessin du Guerchin conservé à Windsor Castle pouvant être daté du début des années 1640 et qui montre une idée de composition très proche (*fig 32*) [82].

Peut-être peinte avec la participation de l'atelier du Guerchin — le dessin de l'orgue accusant certaines maladresses pourrait avoir été peint par Paolo Antonion Barbieri —, la toile montre la patronne des musiciens, des chanteurs et des organistes, mais aussi des facteurs d'orgues et des luthiers [83], les deux mains posées sur son clavier. Sans être accompagnée des anges qui chantent parfois avec elle et tiennent sa partition (Dominiquin, Louvre), ou des saints

31
Le Guerchin
Sainte Cécile
1649
Londres   Dulwich College

32
Le Guerchin
Sainte Cécile
Windsor Castle   Royal Library

qui l'entourent dans sa vision céleste (Raphaël, Pinacothèque de Bologne), elle n'est montrée que comme une simple musicienne, désignée seulement par l'orgue, son attribut traditionnel.

L'œuvre a été anciennement rentoilée et agrandie de 2,5 cm environ le long du bord supérieur.

Elle était dénaturée par un vernis jauni localement chanci et par de très nombreux repeints altérés.

Le nettoyage a permis en particulier de retrouver la forme d'origine allongée de l'œil droit qui avait été abusivement arrondi au cours d'une ancienne restauration.

Quelques repentirs sont visibles par transparence accrue de la matière, au niveau du décolleté et de la taille qui a été élargie. La présence de craquelures prématurées dans le haut du manteau bleu foncé témoigne de difficultés de séchage dues sans doute à une reprise de l'artiste.

L'œuvre présentait quelques zones d'usure (moitié droite du visage, front, partie droite et médiane de la chevelure, main droite) où apparaissait la préparation brune.

Ces zones d'usures ont été atténuées ainsi que le réseau de craquelures très présent dans les carnations et le châle bleu clair, et les accidents localisés ont été mastiqués et réintégrés de manière illusionniste.

Allégé et réintégré en 1990 par Laurence Callegari.

Jacqueline Bret
S R P M N

75 **Malvasia** 1841, II, p 265 ;
Calvi 1841, pp 322-323.

76 *Ibid* p 265 ;
Ibid p 323
(Paiement de 300 écus le 16 août 1642).

77 Archives nationales, F17 1036A dossier n° 2 ; F17 372, p 359, n° 31 (La *Sainte Cécile* y est donnée au Guerchin par l'expert et marchand J. B. P. Lebrun).

78 Archives nationales, Minutier Central, XI, 239 ; XXXIII, 349.

79 **Pérez** 1986, p 164 note 48

80 Selon une hypothèse de Sir Denis Mahon, un membre de la famille Lumague pourrait être le "marchand de Lyon" qui, selon Félibien (IV, 1685, p 205), acheta le tableau avant de le revendre à La Vrillière.

81 **Salerno** 1988, n° 266

82 **Mahon - Turner** 1989, n° 105

Saint Paul

1644
toile H 0,755 ; L 0,60
surface originale peinte : H 0,68 ; L 0,58
Musée du Louvre
INV 80

historique

Payé par le *Commendatore* Manzini la somme de 40 *écus*, le 11 mars 1644 ; acquis par le duc de Modène, vraisemblablement en 1651 ; retiré de la galerie ducale de Modène par les commissaires de la République française et emporté en France, 1796 ; collection du musée du Louvre, 1797 ; envoyé à Strasbourg sous l'Empire puis rapporté au Louvre, 1815.

L'œuvre a été transposée ; en effet, un mémoire de travaux de Hacquin et Mortemart daté de 1829 indique que Saint Paul a été "enlevé de dessus toile et mis sur toile suivant le nouveau procédé".

Elle a été également anciennement agrandie, de 4 cm environ en haut et en bas et de 2 cm sur les côtés. Ces agrandissements ont été conservés car il n'était pas nécessaire d'intervenir à nouveau sur le support, l'adhérence de la couche picturale étant bonne.

Les anciens repeints altérés et les mastics débordant sur la couche picturale originale ont été enlevés, et le vernis très jauni a été allégé, ce qui a permis de retrouver une bonne lisibilité de l'œuvre.

Les accidents localisés et les agrandissements des bords ont été réintégrés de manière illusionniste.

Allégé en 1989 et réintégré en 1990 par Thérèse Prunet.

Jacqueline Bret
SRPMN

catalogues

1801, n° 845 ; 1806, n° 845 ;
1816, n° 885 ; 1820, n° 937 ;
1823, n° 1010 ; 1831, n° 1039 ;
Villot I, 1849, n° 51 ;
Brejon de Lavergnée - Thiébaut 1981, p 187.

bibliographie

Malvasia 1678, II, p 374 ;
Pagani 1770, p 177 ;
Descrizione..., 1784, p 53 n° 44 ;
Lebrun 1798, p 73 ;
Calvi 1808, p 106 ;
Landon 2ᵉ édition, IV, 1831, p 82 ;
Calvi 1841, p 324 ;
Malvasia 1841, II, p 266 ;
Baruffaldi II, 1846, p 473 ;
Campori 1855, p 54 ;
Campori 1870, p 316 ;
Communaux - Demonts 1914, p 74 n° 51 ;
Blumer 1936, p 260 n° 70 ;
Boyer 1970, p 103 ;
Loire 1988, pp 318-319, fig 17 ;
Salerno 1988, pp 26, 288 n° 210
(photographie inversée), 309.

Il est souvent difficile de retracer avec certitude la provenance des petits tableaux du Guerchin, notamment pour ceux peints après 1629 qu'il faut tenter de rapprocher de mentions précises du livre de comptes. Le *Saint Paul* aujourd'hui au Louvre peut cependant être identifié avec le tableau sur ce sujet peint pour le *Commendatore* Manzini en 1644 ; le prix de 40 écus, que celui-ci paya à l'artiste le 11 mars 1644 pour un *Saint Paul*, correspond à un *quadro di testa* du format de celui-ci dont le style, par ailleurs, est compatible avec une datation en 1644. Mais c'est surtout son entrée à une date précoce dans les collections ducales de Modène, où il fut retiré

par les commissaires de la République en 1796, qui permet d'être certain qu'il s'agit bien de la même œuvre.

Alors que Malvasia identifie le *Commendatore* Manzini avec le lettré Luigi Manzini (1604-1657) qui fut certainement lié au Guerchin mais ne portait pas ce titre, le commanditaire du tableau payé en 1644 était plus vraisemblablement son frère aîné Giovanni Battista (1599-1664) à qui, au moins dès 1639, le duc de Savoie avait conféré cette distinction. Recevant également du duc de Modène le titre de marquis de Busana lors du don à celui-ci, en 1651, d'un *Loth et ses filles* (cf **cat 15**), Manzini semble avoir été un amateur d'art averti et un ami intime du Guerchin : il publia en 1633 un opuscule à la gloire de l'*Enlèvement d'Hélène* de Guido Reni tandis qu'un portrait commémoratif sans doute peint à la demande de la famille Manzini vers 1670 par Benedetto Gennari, le neveu du Guerchin, montre celui-ci à côté de l'effigie peinte de Manzini posée sur un chevalet [84].

C'est vers 1651 que le duc de Modène paraît être entré en possession du *Saint Paul* peint pour Manzini. Dans une lettre du 13 février 1651 écrite à son maître par Francesco Corte, l'agent du duc de Modène à Bologne, celui-ci mentionnait, dans la collection d'un certain *commendatore* dont l'identité n'était pas davantage précisée, plusieurs tableaux sont *"un saint Paul du Guerchin... [et] deux tableaux, un d'animaux, l'autre de vases et de fruits, du frère du Guerchin mais très beaux"* [85]. Ce qui permet d'affirmer que ce *commendatore* était bien Giovanni Battista Manzini est le fait que celui-ci avait justement acquis deux tableaux de Paolo Antonio Barbieri, le frère du Guerchin, l'un d'*Animali* le 10 octobre 1643, l'autre d'*Argenti*, le 31 octobre suivant. Il est vraisemblable que le duc suivit la recommandation de Corte et acquit au moins le *Saint Paul* et que celui-ci, décrit dans

la galerie de son palais à la fin du XVIIIᵉ siècle, est le tableau passé depuis au Louvre. Exposé dans les premières années de l'Empire, ce tableau fut par la suite envoyée à Strasbourg puis ramené au Louvre au moment des restitutions de 1815 [86] ; c'est sans doute lors de cet envoi qu'il fut transposé et agrandi afin d'être intégré à un décor, comme il l'était au palais ducal de Modène. Il y était d'ailleurs décrit en 1770 avec son pendant, un *Saint Pierre* lisant *"de la première manière du Guerchin"* qui, lui aussi emmené en France et envoyé au musée de Saint-Quentin en 1876, en a disparu depuis, probablement au cours de la première guerre mondiale [87].

Longtemps négligé, ce petit tableau à la provenance prestigieuse a retrouvé, avec la restauration récente, tous les caractères d'une œuvre originale du peintre, malgré l'aplatissement de la couche picturale qu'a provoquée l'ancienne transposition. Se détachant sur un fond sombre, revêtu d'un ample manteau rouge couvrant une robe verte à liseré blanc, l'apôtre-prédicateur d'Athènes et d'Ephèse n'est identifié que par sa traditionelle calvitie et l'instrument de son martyre, l'épée au pommeau luisant qu'il tient de la main gauche.

[83] **Réau** III, 1, 1958, p 280

[84] Tableau conservé à Cento, Pinacoteca Civica
cf **Bagni** 1986, n° 28, p 48.

[85] **Venturi** 1882, p 233.
Ces tableaux avaient déjà été signalés au duc en 1647
cf note **90**.

[86] **Boyer** 1970, p 103

[87] *Descrizione* 1784, p 52 ;
Blumer 1936, n° 69 p 260.

Hersilie séparant Romulus et Tatius

1645
toile H 2,55 ; L 2,67
Musée du Louvre
INV 85

historique

Livré par le Guerchin pour la galerie de l'hôtel parisien de Louis Phélypeaux de La Vrillière, 1645 ; saisi à la Révolution dans cet hôtel devenu hôtel de Penthièvre, 1794 ; collection du musée du Louvre, 1794.

catalogues

1801, n° 851 ; 1810, n° 983 ;
1816, n° 890 ; 1820, n° 942 ;
1823, n° 1015 ; 1831, n° 1044 ;
Villot   I, 1849, n° 56 ;
Both de Tauzia   1883, I, n° 47 ;
1903, n° 1146 ;
Hautecœur   1926, II, n° 1146 ;
Brejon de Lavergnée - Thiébaut   1981, p 188.

bibliographie

Malvasia   1678, II, p 378 ;
Félibien   IV, 1685, p 231 ;
Le Comte   II, 1700, p 87 ;
Sauval   1724, II, p 230 ;
Piganiol de la Force   1742, I, p 254 ;
Antonini   1744, I, p 137 ;
Brice   1752, I, p 441 ;
Dezallier d'Argenville   1752, p 126 ;
Dezallier d'Argenville   1762, II, p 159 ;
Pernety   1767, p 207 ;
Papillon de la Ferté   1776, p 310 ;
Hurtaut et Magny   1779, III, p 275 ;

Béguillet, Guettard et de Laborde
I, 1784, pl 6 ;
Dulaure 1785, p 325 ;
Thiéry 1787, I, p 307 ;
Calvi 1808, p 110 ;
Landon 2ᵉ édition, IV, 1831, p 80, pl 50 ;
Calvi 1841, p 326 ;
Malvasia 1841, II, p 266 ;
Baruffaldi II, 1846, p 473 ;
Coligny 1866, p 131 ;
Bonnaffé 1884, p 169 ;
Bertin 1901, p 26 ;
Tuetey II, 1903, p 204 ;
Furcy-Raynaud 1912, p 318 ;
Communaux - Demonts 1914, p 78 nº 56 ;
Rouchès 1929, p 56 ;
Laudet 1932, p 43 ;
Hautecœur 1954, pp 177, 180-181 ;
Hoog 1960, p 271 note 21 ;
Rosenblum 1962, p 162, fig 37 ;
Vitzthum 1963, p 216 ;
Mahon 1965, p 128 note 39 ;
Vitzthum 1966, pp 24-31 ;
Barbanti Grimaldi 1968, p 105 ;
Johnston 1973, pp 79-80 ;
Pigler 1974, II, p 423 ;
Haskell 1980, p 185 ;
Cantarel-Besson 1981, I, p 41 ;
Ludmann - Pons 1981, pp 123, 125 note 50 ;
Briganti 1982, pp 230-232 ;
Escoffre 1984, p 70 ;
Cotté 1985, p 94 ;
Ferrari 1986, p 124 note 127 ;
Sabatier 1986, p 295 ;
Cotté 1988, pp 40, 44 ;
Haffner 1988, p 30 ;
Loire 1988, pp 244, 246-247 ;
Salerno 1988, pp 26, 60, 253, 285, 300 nº 226, 321 ;
Cotté 1989, pp 37, 47-50, 62 ;
Mahon-Turner 1989, pp 51, 66, 77-78, 166.

exposition
Paris 1988-1989, nº 86 (reproduction couleur).

œuvres en rapport
dessins
Étude d'ensemble à Florence, musée des Offices ; étude pour Hersilie à Windsor Castle, collections royales ; étude pour le guerrier de droite à Londres, Courtauld Institute of Art ; deux études de détail pour des personnages sur le marché de l'art.

copie
Hippolyte-Claude Ravergie (1815-?) remplaçant le tableau dans la galerie de l'hôtel de Penthièvre.

gravure
Louis-Joseph Masquelier (1780) pour le recueil de Béguillet, Guettard et de Laborde ; Louise-Charlotte Soyer pour le recueil de Landon.

Payé au Guerchin le 8 juillet 1645 pour la somme de 750 écus, ce tableau est le troisième qu'il livra pour la galerie de l'hôtel parisien de Louis Phélypeaux de La Vrillière, actuelle Banque de France. Il avait en effet livré en 1637 les *Adieux de Caton d'Utique* (fig 33), puis, en 1643, *Coriolan supplié par sa mère* (fig 34) auxquels s'ajoutèrent, entre 1635 et 1660 environ, d'autres toiles de même format peintes par Nicolas Poussin et quelques-uns des artistes italiens les plus en vue du moment. Tous inspirés de l'Antique, ces tableaux ornèrent cette galerie jusqu'à la Révolution et furent dispersés au début du XIXᵉ siècle entre le Louvre et d'autres musées français. L'exposition consacrée aux tableaux italiens du XVIIᵉ siècle des musées de province français, qui s'est tenue à Paris en 1988, a permis de reconstituer cet ensemble, pour la première fois depuis sa dispersion.

Alors que l'on avait longtemps supposé que l'*Enlèvement d'Hélène* de Guido Reni (Louvre) était arrivé en possession de La Vrillière en 1631 et avait servi de point de départ à la formation de cette galerie, des documents récemment retrouvés ont permis d'établir que cette œuvre n'avait pu quitter l'Italie avant 1638, voire 1642. Or, à ces dates, deux tableaux au moins, le *Caton* du Guerchin et le *Camille et le*

33
Le Guerchin
Les adieux de Caton d'Utique
1637
Marseille Musée des Beaux-Arts

maître d'école de Faléries de Poussin, étaient déjà en possession de La Vrillière, et leurs sujets n'auraient pu donc avoir été retenus selon un programme préétabli prenant pour point de départ la toile de Reni. En fait, l'exposition de 1988, en autorisant la confrontation de l'ensemble des tableaux, a permis de mettre en évidence un changement de ton dans les sujets et surtout, dans les traitements des tableaux peints après 1643, année probable d'arrivée de l'*Enlèvement d'Hélène* de Reni : des deux sujets "virils" et stoïques de Poussin et du Guerchin, excluant toute présence féminine, on serait passé à des sujets plus "féminins", mettant en jeu l'intervention centrale d'une héroïne antique, et traités sur un mode moins martial. Il est tentant de mettre ce changement de ton des tableaux peints pour la galerie après 1643 en rapport avec l'arrivée de la toile de Reni qui transforme la fable antique en une chorégraphie savante et irréelle : elle aurait pu, dès son arrivée, entraîner un changement d'orientation des commandes ultérieures. Une telle mutation permettrait éventuellement d'expliquer pourquoi le Guerchin ne livra pas à La Vrillière une toile représentant *Mucius Scaevola devant le roi Porsenna* (*fig* 35) que Malvasia nous dit pourtant avoir été peint pour lui **88** ; elle ne s'opposerait pas non plus au choix du sujet de l'*Hersilie* de 1645.

Le sujet illustre un épisode de l'histoire romaine succédant à celui de l'enlèvement des femmes Sabines par les Romains. Celles-ci, avec à leur tête Hersilie, épouse de Romulus, s'interposèrent entre leurs époux Romains et leurs pères et frères Sabins, pour faire cesser leurs luttes fratricides (Tite Live, *Histoire romaine*, I, 13 ; Plutarque, *Vie de Romulus*, 20-24). Représentant un sujet romain, assez exceptionnel dans son œuvre, le Guerchin a donné un caractère sculptural à ses personnages qui évoluent dans un espace dense, créant ainsi un effet de bas-relief. Cet effet est d'ailleurs accentué par l'échelonnement des plans clairement articulés dans le lointain desquels des combattants font écho à l'action du premier plan, et par le riche coloris. Recherchant volontiers des accords de couleurs raffinés, le peintre découpe la frise de ce combat sur la grande clarté du ciel aux teintes bleues lapis d'une rare intensité qui unifient la toile. Sans doute aisément accessible aux peintres au XVIIIᵉ siècle, puis au Louvre dès 1793, il est très vraisemblable que l'*Hersilie* du Guerchin peinte pour La Vrillière fournit à David le motif initial des *Sabines* peintes un siècle et demi plus tard.

88 Malvasia 1841, II, p 273

34
Le Guerchin
Coriolan supplié par sa mère
1643
Caen Musée des Beaux-Arts

35
Le Guerchin
Mucius Scaevola devant Porsenna
vers 1640 — 1640
Gênes Palazzo Durazzo-Pallavicini

La Vierge à l'Enfant

vers 1645-1650
toile H 1,238 ; L 1,040
Chambéry, Musée des Beaux-Arts
Inv M 991

historique

Galerie ducale de Modène avant 1784 ; retiré
par les commissaires de la République française et emporté en France, 1797 ; collection
du musée du Louvre, 1796 ; déposé par le
Louvre (INV 76) au musée des Beaux-Arts
de Chambéry, 1895.

catalogues

Louvre

1801, n° 834 ; 1810, n° 969 ; 1816, n° 881 ;
1820, n° 933 ; 1823, n° 1006 ; 1831, n° 1035 ;
Villot   I, 1849, n° 47 ;
Both de Tauzia   1883, I, n° 41 ;
Brejon de Lavergnée - Thiébaut
1981, p 291.
Chambéry
Carotti   1911, n° 1138.

bibliographie

Descrizione..., 1784, p 21 ;
Lebrun   1798, p 47 ;
Notice..., 1798, n° 83 ;
Landon   2ᵉ édition, IV, 1831, p 58, pl 34 ;
Baruffaldi   II, 1846, p 473 ;
Campori   1855, p 54 ;
Atti   1861, p 9 ;
Communaux - Demonts   1914, p 73 n° 47 ;
Blumer   1936, n° 66 p 259 ;
Amiet   1960, p 148 ;
Mahon   1968, p 152 ;
Brejon de Lavergnée - Volle   1988, p 195
("Guerchin et atelier") ;
Loire   1988, pp 318 fig 18, 319
("Atelier du Guerchin") ;
Salerno   1988, pp 410 n° 355
("original possible non examiné").

œuvre en rapport
gravure
Charles Normand pour le recueil de Landon.

Peu connue et peu étudiée, cette *Vierge à l'Enfant* pose des problèmes d'identification et de datation qui, autant que pour les figures de saints de petits formats (*cf* **cat 8**), tiennent à l'abondance de ce type de sujets dans la production du Guerchin. De plus, le peu d'informations sur leur provenance rend difficile la distinction des différentes versions documentées par le livre de comptes. En effet, ce registre comptable recense au moins quinze figurations de la *Vierge à l'Enfant* à partir de 1629 : dix y sont effectivement désignées sous ce titre tandis que parmi la douzaine d'autres *Vierges* désignées sans plus de précision, cinq au moins peuvent, d'après leur mention dans la liste d'œuvres de Malvasia, être classées parmi les *Vierge à l'Enfant*.

L'analogie, de facture et d'esprit, du tableau de Chambéry avec certains groupes de la Vierge à l'Enfant bénissant figurant dans la partie supérieure de grands tableaux d'autel peints dans les années 1645-1650, comme par exemple dans la *Vierge à l'Enfant avec saint Bruno* de 1647 (*fig* **36**) (*cf* aussi les **cat 13, 16**), invite à rechercher son origine parmi les œuvres sur le thème de la *Vierge à l'Enfant* documentées pendant ces années. De fait, il est tentant de le rapprocher d'une *Madone* payée par le *commandatore* Manzini le 21 juin 1646 et que Malvasia

désigne comme une *Vierge à l'Enfant* [89] : notre toile provient en effet de la galerie ducale de Modène au XVIIIᵉ siècle et elle pourrait avoir été acquise par le duc de Modène Francesco I d'Este qui fut, à plusieurs reprises, en contact avec Manzini pour des acquisitions de toiles du Guerchin (*cf* **cat 8, 15**). D'ailleurs, une *Vierge à l'Enfant* figurait en 1647 parmi un lot de tableaux proposés à l'achat au duc et appartenant vraisemblablement à Manzini : il comportait également un *Saint Paul* qui se confond certainement avec la toile Manzini achetée par le duc, sans doute vers 1651 (**cat 8**) [90].

Alors que le tableau de Chambéry apparaît dans un catalogue de la galerie de Modène de 1784 — où il est décrit comme tableau en largeur (*"quadro per traverso"*), peut-être parce qu'il avait été agrandi pour être intégré à un décor —, il paraît absent des inventaires précédents des collections ducales de Modène. La collection du prince Cesare d'Este comportait pourtant, en 1685, une toile paraissant très proche de la nôtre : *"Une Vierge à l'Enfant en pied du Guerchin sans cadre"* (117 × 99,5) [91]. Mais une autre mention ancienne, celle d'une toile conservée en 1708 dans la galerie du duc de Parme, pourrait elle aussi correspondre au tableau de Chambéry : *"Une Vierge tenant l'Enfant*

36
Le Guerchin
La Vierge à l'Enfant avec saint Bruno
1647
Bologne   Pinacoteca Nazionale

debout sur une table couverte d'une nappe blanche, qui bénit de la main droite et se tient de la gauche à la ceinture de la Vierge" (111 × 93) **92** ; s'agit-il dans les deux cas de la même œuvre ? Faut-il imaginer que la toile aujourd'hui à Chambéry, peut-être acquise par Francesco I d'Este, passa, au cours du XVIIIᵉ siècle, d'une résidence de la famille d'Este à l'autre ou fit-elle l'objet d'un présent ou d'une transaction de la collection des souverains Farnèse de Parme à celle des Este de Modène ? Il est difficile d'être plus précis mais on peut noter que l'abondance des tableaux du Guerchin représentant une *Vierge à l'Enfant* s'explique sans doute en partie par le fait que ces petits tableaux, propres à tous les types de dévotion, étaient des cadeaux parfaits pour un homme d'Eglise, un prince, ou pour tout autre amateur auquel un commanditaire voulait pouvoir rendre hommage. Ainsi, en 1639, un membre de la famille Bentivoglio soucieux de maintenir l'alliance de sa famille avec la France, acheta au peintre une *Vierge à l'Enfant* pour pouvoir l'offrir à Mazarin **93** ; le tableau se perdit au cours de l'expédition, entre Cento et Gênes, ce dont Bentivoglio dut s'excuser auprès de Mazarin l'année suivante, signe sans doute qu'un tableau au sujet aussi commun pouvait représenter un enjeu diplomatique important susceptible de faire paraître bien peu efficace celui qui avait voulu l'offrir !

Présentant des signes d'agrandissement sur les côtés et peut-être également au bas de la toile — la gravure du recueil de Landon (1834) montre d'ailleurs une composition plus resserrée —, la toile de Chambéry devait aussi être repeinte lorsqu'elle arriva en France. Lebrun parle alors de l'Enfant *"vêtu d'une draperie repeinte, qui voltige devant lui"* et ajoute que *"ce tableau peu intéressant est d'un faire mou & de ton rougeâtre, d'un côté il est agrandi d'un pilastre, & de l'autre le rideau violet a été augmenté".* Quelques années

plus tard, Landon commentait *"cette Madone qui n'est remarquable que par la force du relief et une touche large et moelleuse. Les draperies ont une ampleur exagérée, et la figure de l'Enfant est faiblement dessinée".* Si les reproductions de cette toile en accentuent les contours et en font paraître plus lisse la matière, sans doute exagérément "aplatie" par des restaurations anciennes, il faut pourtant noter la richesse de son coloris qui, à côté des couleurs traditionnelles des vêtements de la Vierge — la robe rouge, le manteau bleu —, est rehaussé par les nuances violettes de sa ceinture ou de ses manches qui donnent quelques tonalités froides. La comparaison de cette toile avec celle de même sujet peinte une quinzaine d'années auparavant qui, se démarquant déjà nettement des tableaux pré-romains du Guerchin, annonçait l'évolution de la fin de sa carrière, est d'ailleurs significative (*fig* **37**) : les formes sont désormais présentées dans un plan strictement parallèle à celui de la surface du tableau créant un équilibre encore plus rigoureusement calculé à l'intérieur de la toile et un effet de bas-relief ; les couleurs, moins denses, évitent des contrastes trop vifs, mais surtout, une facture plus tendre adoucit les volumes et juxtapose des tonalités voisines sans les heurter.

89 Calvi 1841, p 327
(La somme reçue n'est cependant pas indiquée) ;
Malvasia 1841, II, p 266.

90 Campori 1870, p 160

91 *Ibid* p 325

92 *Ibid* p 460

93 Southorn 1988, pp 94-95

37
Le Guerchin
La Vierge à l'Enfant
1629
Cento Pinacoteca civica

Saint Pierre pleurant devant la Vierge,
dit aussi
Les larmes de saint Pierre

1647
toile H 1,22 ; L 1,59
(modification de format : 1709 : 1,32 × 1,53)
Musée du Louvre
INV 78

historique

Peint pour le prince Boncompagni, 1647 ;
vendu par le marchand Alvarez à Louis XIV,
1682 ; exposé à Versailles jusqu'à la fin du
XVIIIᵉ siècle ; collection du musée du Louvre,
1794 ; déposé au château de Fontainebleau,
1875 ; retourné au Louvre, 1930.

catalogues

1816, nᵒ 883 ; 1820, nᵒ 935 ;
1823, nᵒ 1008 ; 1831, nᵒ 1037 ;
Villot 1, 1849, nᵒ 49 ;
Chennevières 1881, nᵒ 6 p 7 ;
Brejon de Lavergnée - Thiébaut
1981, p 187.

bibliographie

Malvasia 1678, II, p 375 ;

Piganiol de la Force 1701, p 45 ;

Monicart 1720, I, p 106 ;

Lépicié II, 1754, pp 304-305 ;

Dezallier d'Argenville 1762, II, p 158 ;

Pernety 1767, p 207 ;

Papillon de la Ferté 1776, p 310 ;

Calvi 1808, p 115 ;

Landon 2ᵉ édition, IV, 1831, p 82 ;

Calvi 1841, p 327 ;

Malvasia 1841, II, p 267 ;

Guiffrey 1887, colonnes 619-620 ;

Engerand 1899, pp 195-196 ;

Communaux - Demonts 1914, p 74 nº 49 ;

Constans 1976, pp 166 fig, 167 note 27 ;

Bergeon 1980, pp 20-21, 84-87 ;

Brejon de Lavergnée 1987, pp 73, 394-395 nº 399 ;

Gowing 1988, p 338 ;

Salerno 1988, p 310 nº 236 ;

Mahon - Turner p 191.

exposition
Paris 1980, nº 2.

œuvres en rapport
dessin
Une contre-épreuve conservée à Windsor, collections royales, reproduit un dessin préparatoire disparu pour la figure de la Vierge.

copie
France, collection particulière (H 1,22 ; L 1,69 ; peut-être l'une des copies exécutées au Louvre entre 1851 et 1859 cf Archives du Louvre, LL 26).

gravure
Lithographie de C. André (1845 ; la figure de la Vierge seule, vue à mi-corps et inversée).

Acheté par Louis XIV du marchand Alvarez en 1682, ce tableau doit vraisemblablement être identifié avec le *Saint Pierre pleurant devant la Vierge* payé au Guerchin par le prince Boncompagni, le 6 mars 1647 pour la somme de 120 ducats ou 150 écus. En effet, le style de cette œuvre est compatible avec une telle datation et de plus, le prix reçu de 120 ducats correspond parfaitement, selon le tarif pratiquement constant que le peintre pratiquait tout au long de sa carrière, à une toile montrant deux demi-figures. En outre, aucun autre tableau sur ce sujet n'apparaît dans le livre de compte.

Alors que ce registre comptable identifie le commanditaire comme le prince Boncompagni, Malvasia le désigne du titre de duc ; à défaut d'autres précisions supplémentaires sur cet amateur, on peut envisager de le confondre avec Ugo Boncompagni (1614-1676) [94], le personnage alors le plus en vue de cette famille de souche bolonaise dont un membre avait été pape de 1572 à 1585 sous le nom de Grégoire XIII (le réformateur du calendrier). Destiné d'abord à une carrière ecclésiastique, Ugo Boncompagni vit s'ouvrir à lui, après la mort de son frère aîné Giacomo (1636), la succession aux titres et aux bénéfices familiaux : le pape Urbain VIII lui attribua officiellement le siège héréditaire de sa

famille au Sénat de Bologne en 1636 et le roi d'Espagne Philippe IV l'investit, en 1633, du titre de duc de Sora. Loyal à la couronne d'Espagne, il s'illustra tristement par sa cruauté dans la répression militaire de la révolte de Masaniello, à Naples, en 1647. On ne sait rien de précis sur son éventuelle activité de collectionneur mais par son statut social comme par son importante fortune, il était certainement susceptible de commander au Guerchin un tableau comme celui-ci.

L'œuvre dut rapidement émigrer et elle fit partie d'un lot de trente-trois tableaux — dont vingt-neuf figurent dans l'inventaire des tableaux de Louis XIV dressé par Charles Le Brun en 1683 sous les numéros 397 à 425 — que le marchand Alvarez vendit à Louis XIV le 4 octobre 1682. Très homogène, et probablement une collection formée par Alvarez, cet ensemble avait pour particularité d'être constitué d'œuvres toutes en rapport avec l'Italie, qu'il s'agisse de tableaux italiens (Reni, Viola, Tiarini,...) ou de tableaux dus à des artistes français ou nordiques actifs outre-monts (Poussin, Claude Lorrain, Dughet, Brill, Poelenburgh, Brueghel de Velours). Plusieurs des pièces de cet ensemble provenaient d'ailleurs de la collection du cardinal romain Angelo Giorio (1585-1662), chambellan et intime du pape Urbain VIII, dans l'inventaire après décès duquel elles figuraient en 1669, indice peut-être que la totalité du lot Alvarez avait été rassemblée à Rome.

Rehaussé en 1684 pour recevoir un cadre payé au sculpteur Lalande en 1685, ce tableau resta à Versailles jusqu'à la Révolution, d'abord dans la grande antichambre du Roi puis, à partir de 1760, dans le Salon de Mars où il fut utilisé comme dessus-de-porte, en pendant avec le *Saint Jean-Baptiste* de Raphaël (Louvre). La plus grande des œuvres du Guerchin acquises par Louis XIV, cette toile, à laquelle le titre des

Larmes de saint Pierre fut sans doute donné assez tôt mais à une date qu'il est difficile de préciser, semble toujours avoir été considérée comme secondaire ; exposée au Louvre uniquement après les restitutions de 1815, elle fut longtemps déposée à Fontainebleau et a été peu vue au Louvre depuis son retour en 1930.

Il s'agit pourtant d'un exemple particulièrement réussi d'un type de composition montrant des personnages vus à mi-corps qui avait fait le succès du peintre dès ses années pré-romaines, à la fois par son approche directe, immédiate du sujet, mais aussi par son traitement pictural réduisant volontairement la palette sans nuire à l'ampleur des formes ; en ce sens, cette toile montrant un esprit proche de certaines tendances propres à la peinture française à l'époque de Charles Le Brun était bien susceptible de plaire à des collectionneurs ou à des peintres français du XVIIᵉ siècle. Il faut d'ailleurs souligner la singularité de son sujet qui ne se trouve pas dans les Evangiles mais mêle dans un seul tableau, en leur donnant la même valeur expressive, le repentir de saint Pierre après son reniement et la douleur de la Vierge ; ce thème est si peu courant que l'on a parfois interprété le tableau comme la représentation non moins rare de la *Vierge et saint Joseph*

pleurant la disparition de l'Enfant.

Dans une toile peinte en 1646 pour Mazarin, le Guerchin avait représenté le sujet cher aux peintres caravagesques du *Reniement de saint Pierre (fig 38)*. Par ailleurs, il peignit à plusieurs reprises des *Repentirs de saint Pierre* montrant le saint isolé et essuyant ses larmes, selon une iconographie favorisée par la Contre-Réforme pour réaffirmer, face aux protestants, l'importance du sacrement de pénitence. Mais il lui a ici ajouté la figure de la Vierge pleurant : s'agit-il de la Vierge de douleur, essuyant ses larmes après l'ensevelissement du Christ — mais qui aurait ici cessé de pleurer — ou la scène se passe-t-elle au cours de la Passion, après l'arrestation du Christ et le reniement de saint Pierre ? L'absence de référence dans les Evangiles ne permet pas de trancher, le peintre ayant peut-être lié les deux figures prises chacune dans des moments distincts et de manière fortuite, ou pour répondre à la volonté précise de son commanditaire. Il est de toute façon parvenu à montrer comment, selon Lépicié (1754), l'*"expression & l'attitude de la Vierge font sentir combien son affliction est plus forte que celle de saint Pierre. Cette tendre mère est assise, les mains posées sur ses genoux, & paroissant dans un état d'insensibilité qui ne lui permet aucun mouvement.*

Le Disciple au contraire est debout ; il essuie ses larmes, & la vivacité de son action indique à la fois son trouble & son repentir".

Désignée simplement par le halo qui entoure le voile orangé recouvrant sa tête, la Vierge est habillée de vêtements aux plis clairement mais savamment ordonnés, et dont les couleurs, peu nombreuses mais subtilement graduées d'après l'éclairage latéral creusant les ombres, répondent à celles des vêtements de l'apôtre : il porte un manteau orange couvrant une robe bleu lapis correspondant au manteau de la Vierge. Mais les deux figures sont liées par leurs mouchoirs d'un blanc crémeux — auxquels font écho la manche de la Vierge ou la chemise de saint Pierre —, deux objets anodins donnant son sens au tableau et complètant son harmonie colorée. Témoignant, par la raréfaction volontaire des couleurs, par l'évidence élémentaire de la composition mais aussi par le raffinement des détails et de l'exécution, de la recherche affirmée du Guerchin d'un esprit classique, ce tableau traduit un sentiment religieux authentique ; à ce titre, et peut-être davantage que dans les tableaux de jeunesse du Guerchin, il révèle chez lui une adéquation complète des moyens picturaux à l'expression d'une conviction religieuse sincère et intensément personnelle.

94 Coldagelli 1969, pp 694-695

38
Le Guerchin
Le reniement de saint Pierre
1646
collection particulière

Saint Jérôme au désert

1649
toile H 2,35 ; L 1,81
Nogent-sur-Seine, Eglise Saint-Laurent

historique

Peint pour le cardinal Fabrizio Savelli, légat du pape à Bologne, 1649 ; cité dans un inventaire des tableaux de la famille Savelli à Rome, 1650 ; arrivé à une date inconnue mais avant 1905 dans l'église de Nogent-sur-Seine ; classé Monument Historique comme "Anonyme XVIIᵉ siècle", le 30 novembre 1984.

bibliographie

Malvasia   1678, II, p 376 ;
Calvi   1808, p 122 ;
Calvi   1841, p 330 ;
Malvasia   1841, II, p 267 ;
Campori   1870, p 166 ;
Mahon   1968, pp 191, 193 ;
Salerno   1988, p 335 ;
Loire   1990, à paraître.

Inédit mais cependant bien documenté par des mentions d'archives, cet important tableau a été récemment retrouvé dans l'église de Nogent-sur-Seine où il a pu arriver dès le XIXe siècle [95]. Peint pour le cardinal Fabrizio Savelli, légat du pape Innocent X à Bologne, qui le paya le 30 août 1645 la somme de 125 ducats, il avait disparu depuis 1650 lorsqu'un inventaire des tableaux de la famille Savelli dressé à Rome le citait avec deux autres figures de saints, un *Saint François au désert* et un *Sainte Madeleine se disciplinant* [96]. Malvasia l'avait d'ailleurs mentionné parmi les tableaux peints en 1649 pour le cardinal Savelli avec les deux autres figures de saints, tableaux "compagnons" auxquels devaient s'ajouter en 1650 un *Saint Jacques le Majeur*. Les quatre toiles durent être dispersées après la mort du cardinal en 1659 mais avant, ou au moment de l'extinction de sa famille en 1712.

Alors que seul des quatre saints peints pour Savelli le *Saint Jérôme* n'avait pas encore réapparu, plusieurs arguments permettent de l'identifier avec la toile aujourd'hui à Nogent-sur-Seine : le livre de comptes du peintre cite dix-huit compositions sur le thème de saint Jérôme dont quatre seulement étaient jusqu'à présent retrouvées mais une seule, celle de Savelli, correspondait par son prix au tarif habituel du peintre pour un tableau montrant un seul personnage vu en entier comme dans ce tableau. Par ailleurs, outre la très haute qualité d'œuvre originale de cette œuvre, dont le style est d'ailleurs parfaitement compatible avec une datation en 1649, ses dimensions sont très proches de celles des autres toiles de la série Savelli [97]. Enfin, il correspond tout à fait à la description qu'en donnait l'inventaire de 1650 : *"Un saint Jérôme avec la plume à la main, adorant le Crucifix,* [et] *dans un paysage"*.

Occupant la charge de légat de septembre 1648 à octobre 1651, le cardinal Fabrizio Savelli, qui semble avoir aimé les tableaux et ne pas avoir répugné à les vendre, dut tout naturellement rendre rapidement visite au Guerchin dès son arrivée à Bologne. Celui-ci était alors le peintre le plus réputé à Bologne où il s'était installé en 1642, après la mort de Guido Reni, et il était aussi une sorte de fournisseur attitré jouissant d'un quasi-monopole pour les légats de cette ville comme il l'était à Ferrare depuis trois décennies (*cf* **cat 1**). De fait, Savelli obtint du Guerchin que celui-ci terminât pour lui, en 1649, une *Herminie avec les bergers* que lui avait commandée l'année précédente le collectionneur sicilien Don Antonio Ruffo. Afin de servir de pendant à cette grande toile aujourd'hui disparue [98], il demanda au peintre une *Herminie retrouvant Tancrède blessé* (York, Castle Howard) qui lui échappa cependant : avant son achèvement en 1651, elle avait été remarquée par le duc de Mantoue visitant l'atelier du peintre qui parvint à son tour à la soustraire à son commanditaire avec le *Loth et ses filles* du Louvre (**cat 15**). Entre temps, en moins de sept mois, Savelli avait payé au peintre les trois grandes figures de saints au désert : le 3 avril 1649, le *Saint François* (Pescara, Eglise San Cetteo), le 30 août, le *Saint Jérôme* de Nogent-sur-Seine, et le 21 novembre, la *Madeleine* (New York, collection particulière), auxquels devait venir s'ajouter un *Saint Jacques le Majeur* (Vienne, collection particulière) de dimensions voisines et payé le 27 juin 1651.

Existe-t-il un motif ayant pu présider au choix par Savelli des quatre saints représentés dans cette série ? Alors que saint Jérôme pourrait s'y trouver au titre de protecteur des cardinaux (*cf* **cat 2**) et que sainte Madeleine et saint François pouvaient y être en tant que de saints pénitents et modèles de dévotion pour tout bon chrétien, la raison du choix de saint Jacques le Majeur pour compléter la série paraît moins claire. Est-ce parce que le frère de saint Jean l'Evangéliste est fréquemment mentionné dans les Evangiles à ses côtés, avec saint Pierre, parmi les apôtres les plus proches du Christ que celui-ci appela notamment avec lui au moment de la Transfiguration ou de l'Agonie à Gethsémani ? Le Cardinal Savelli vouait-il une dévotion particulière à ces quatre saints ? Ou plus simplement, fallait-il une figure de saint qui soit suffisamment reconnaissable par ses attributs pour compléter une série de grandes toiles destinées à la décoration d'un intérieur ? La réunion de ces quatre saints paraît ici plus fortuite que celle que le Guerchin devait provoquer dans une série de quatre tableaux en largeur peints vers 1652-1655 et destinés à sa propre maison : saint Jean-Baptiste, saint Paul Ermite, la Madeleine et saint Jérôme devaient, cette fois, avoir en commun d'être tous des saints pénitents au désert [99].

Représentant ici saint Jérôme dans une iconographie originale, sans nulle vision surnaturelle ni geste de pénitence mais dans sa méditation de docteur de l'Eglise, le Guerchin l'a montré contemplant un crucifix, la plume suspendue au-dessus d'un épais folio. Sans négliger les détails réalistes de l'environnement, minéral et végétal, qui encadre le saint et l'isole un peu plus dans sa solitude mystique, et tout en créant de riches accords de couleurs, à la fois denses et subtilement graduées — le rouge sonore de sa draperie et le bleu de l'échappée du ciel —, il est parvenu à créer une figure puissante, à la fois monumentale et profondément inspirée.

Le tableau, outre les importantes restaurations sur d'anciennes déchirures et coupures visibles tant au niveau de l'abdomen du personnage que de la croix, présentait des déformations et des écaillages disséminés sur toute la surface et plus particulièrement à la périphérie des accidents.

Les six types de mastic, mastic à la cire, au carbonate de calcium, au carbonate de plomb... dénombrés lors de la dernière restauration, témoignent des multiples interventions opérées au cours des siècles sur la couche picturale de cette œuvre ; la toile ayant, elle, fait l'objet d'un rentoilage.

Les repeints débordaient largement sur la matière originale (partie inférieure du tableau, abdomen de saint Jérôme), ou, généralisés, recouvraient des zones entières et cachaient souvent des restaurations antérieures. Ainsi, le ciel était complètement repeint d'une couleur brunâtre qui occultait le superbe bleu lapis lazuli déjà retouché au bleu de Prusse (analyses du Laboratoire de Recherche des Monuments Historiques). Tous les repeints et mastics inadéquats ont été enlevés pour retrouver la couche picturale authentique et exécuter une discrète réintégration des lacunes. Seul le bleu de Prusse, aux endroits où il a "migré" dans la couleur originelle, n'a pu être totalement éliminé.

Rentoilage à la colle par Olivier Nouaille.
Restauration de la couche picturale par Nathalie Houdelinckx.

Caroline Piel
Inspecteur des Monuments Historiques

95 Le mérite de la découverte de ce tableau revient à Françoise Joulie. L'attribution a été également suggérée par J. Montcouquiol.

96 **Campori** 1870, p 166

97 Les trois toiles avaient les mêmes dimensions dans l'inventaire de 1650 ; les mesures de deux des tableaux Savelli sont très proches : la *Madeleine* (**Salerno** 1988, n° 264) mesure 230×177 et le *Saint Jacques le Majeur* (**Salerno** 1988, n° 279) 233×166.

98 **Mahon** 1968, p 191 ; **Salerno** 1988, p 328

99 **Salerno** 1988, n°ˢ 292-295

La Vierge à l'Enfant apparaissant à saint Jérôme

1650
toile H 3,26 ; L 2,00
Paris, Eglise Saint-Thomas-d'Aquin

historique

Peint pour la troisième chapelle de gauche de
l'église du Rosaire de Cento, 1650 ; retiré par
les commissaires de la République française
et emporté en France, 1796 ; collection du
musée du Louvre, 1797 ; attribué à l'église de
la Madeleine, actuelle église de l'Assomption
ou chapelle polonaise, à Paris, 1811 ; déplacé
à l'église Saint-Thomas-d'Aquin, 1881.

catalogues
Louvre
1801, n° 843 ; 1806, n° 843.

bibliographie

Malvasia 1678, II, p 378 ;

Righetti 1768, p 19 ;

Lalande 1786, VIII, p 248 ;

Lebrun 1798, pp 43-44 ;

Notice..., 1798, n° 82 ;

Landon II, 1802, pp 83-84, pl 42 ;

Calvi 1808, pp 33, 163 note 36 ;

Landon 2ᵉ édition, IV, 1831, p 69, pl 42 ;

Calvi 1841, p 294 ;

Malvasia 1841, II, p 269 ;

Baruffaldi II, 1846, p 461 ;

Atti 1853, pp 36, 119 ;

Atti 1861, pp 9, 75 ;

Chaix I, 1878, p 184 ; II, 1881, p 326 ;

Blumer 1936, n° 56 p 258 ;

Grimaldi 1957, pl 149 ;

Boinet III, 1964, pp 194, 225 fig 9 ;

Gould 1965, p 79 ;

Comitato Cento 1966, p 58 ;

Barbanti Grimaldi 1968, p 108, pl 216 ;

Boyer 1970, p 80 ;

Viroli 1980, p 238 ;

Pasini 1987, p 43 ;

Giovannucci Vigi 1988, p 85 ;

Loire 1988, pp 313 fig 12, 315, 319 ;

Salerno 1988, pp 2, 70, 343 n° 273 ;

Samoggia 1988, p 46.

expositions

Paris 1946, n° 1.

œuvres en rapport

copies

Le saint Jérôme seul :

Forli Pinacoteca Civica

par Giuseppe Galeppini (1625 — après 1650)

Léningrad musée de l'Ermitage ;

Rome Galleria Nazionale d'Arte Antica ;

Venise Séminaire.

gravure

Charles Normand pour le recueil de Landon.

Ce grand tableau d'autel est cité par Malvasia parmi les œuvres peintes en 1650 : *"Un saint Jérôme au désert avec la Vierge et l'Enfant au sig. Pietro del Fratte, pour le mettre dans l'église du Rosaire de Cento ; tableau auquel il ajouta l'année suivante une Vierge à l'Enfant"*. Plutôt qu'à un ajout au grand tableau, il est probable que Malvasia fait allusion à un autre tableau montrant la *Vierge à l'Enfant* dont nous ne savons rien. En effet, aucun paiement n'apparaît dans le livre de comptes pour le tableau de l'église du Rosaire ou pour celui d'une *Vierge à l'Enfant* qu'aurait payé un *Signore* Pietro del Fratte ; le Guerchin avait-il oublié de noter un tel paiement ou fit-il présent du tableau à cette église ? De fait, plus que toute autre église à Cento, la ville natale du peintre, l'église du Rosaire est celle à laquelle le nom du peintre reste attaché. Nommé prieur de la confrérie du Rosaire en 1620 **100**, il exécuta peu après, sans doute lors de son séjour à Rome, une *Assomption de la Vierge* qui fut placée à la voûte de l'église partiellement reconstruite en 1644. Nommé surintendant de la fabrique de l'église en 1631, il aurait donné les dessins de la façade et du clocher, seuls projets d'architecture que les sources lui attribuent **101**, avant d'acquérir, en 1642, une chapelle pour sa famille (*fig* 39). Cette chapelle, la deuxième de la

nef de gauche, fut ornée en 1644-1645 de plusieurs tableaux de sa main : une *Crucifixion avec la Vierge, la Madeleine et saint Jean l'Evangéliste* à l'autel, un *Saint Jean-Baptiste* et un *Saint François* à la voûte de la chapelle, encadrant un *Père Eternel* dont la barbe aurait fait allusion au nom du peintre tandis que le choix des deux saints des côtés était clairement en relation avec son prénom. En outre, deux statues représentant saint Antoine et saint Paul auraient été des allusions à celui de son frère cadet, Paolo Antonio Barbieri. Mais l'église comportait encore d'autres œuvres peintes ou inspirées par le Guerchin : la statue de bois mise en place sur l'autel principal de l'église en 1626 avait été exécutée sur ses dessins tandis qu'il livra, en 1650, un *Saint Jean-Baptiste au désert* (Cento, Pinacoteca Civica) pour la première chapelle de droite qui lui fut payé par Giovanni Battista Ridolfini le 18 juin de cette année, et le *Saint Jérôme* aujourd'hui à l'église Saint-Thomas-d'Aquin. En dépit des liens très étroits du Guerchin avec cette paroisse, il est très vraisemblable qu'il se fit payer ce tableau comme il l'avait fait pour le *Saint Jean-Baptiste* : il paraît avoir été suffisamment attentif à se faire régler ses œuvres selon des prix observant un tarif constant et à la bonne tenue financière de ses affaires pour ne pas avoir peint gratuitement un

39
Vue de la chapelle Barbieri
Cento
Eglise du Rosaire

tableau d'autel de cette taille. L'absence de mention dans le livre de comptes devrait donc plutôt s'expliquer par une négligence de sa part dans la tenue de ce registre comptable. Celui-ci lui échut après la mort de son frère Paolo Antonio Barbieri, en 1649, et laisse d'ailleurs apparaître, au moins en 1650, plusieurs enregistrements en retard. Le Guerchin aurait donc bien pu négliger de noter celui de del Frate pour ce *Saint Jérôme*.

Comme le tableau peint en 1649 pour le cardinal Savelli (**cat 12**), celui-ci montre saint Jérôme au désert, cherchant l'inspiration de ses écrits. Mais tandis qu'il la trouvait alors dans la méditation sur un crucifix, qu'il écoutait, dans des variantes contemporaines sur ce thème, la dictée d'un ange interrompant parfois sa tâche en faisant souffler la trompette du Jugement dernier (*fig 40*), il voit ici apparaître la Vierge tenant l'Enfant. Cette iconographie particulière s'explique sans doute par la destination précise du tableau à une église placée sous le vocable du Rosaire et donc dédiée à la Vierge. Mais aussi, selon le catalogue du Louvre de 1801, parce qu'*"elle encourage saint Jérôme à éclairer l'Eglise chrétienne par ses écrits"*. Ce parti iconographique a d'ailleurs amené le peintre à montrer le saint vêtu d'une tunique non plus rouge mais d'un rose très doux qui contraste avec le manteau de couleurs traditionnellement rouge vif de la Vierge et s'accorde avec les tonalités pastel du ciel.

Les archives du Service des églises de Paris mentionnent une intervention de Vincent, dont le devis de "décrassage, nettoyage, restauration et refixage, ancien vernis rénové et vernissage final de protection" fut engagé le 3 mars 1959.

Mais l'examen attentif au cours de l'intervention en 1990 a permis de mieux comprendre les autres épreuves subies par le tableau.

Le chassis, attaqué par des insectes xylophages, était flanqué sur trois côtés de baguettes destinées à l'agrandir. La grossièreté de ce montage permet d'imaginer le remplacement hâtif d'un ancien chassis. Il a donc été remplacé.

Le tableau a été rentoilé au moins une fois, sans qu'on en connaisse la raison : la surface ne présente pas de trace de décollement et les réseaux de craquelures sont parfaitement réguliers. Peut-être la litharge, souvent utilisée par le Guerchin et dont la granulation est ici visible, était-elle à l'origine d'un problème d'adhérence. Lors d'un de ces rentoilages, les empâtements ont été en partie écrasés.

Sous un vernis assez léger et quelques repeints, un second vernis vert jaune dissimulait des zones d'usure, ainsi que des traces verticales de quelques centimètres réparties sur la robe de la Vierge et la partie de ciel du haut du tableau. Les usures proviennent sans doute d'un effacement brutal des traces verticales. Ces dernières résultent de l'incrustation d'une matière — non identifiée — dans la couche picturale, et celles qui subsistaient n'ont pu être éliminées mais seulement masquées. Des altérations similaires ont été observées sur le *Saint Jean-Baptiste au désert* de la Pinacoteca Civica de Cento.

Restauration de la couche picturale par Anne Pupin.

Yves Gagneux
Conservateur au Service des Objets d'art
de la Ville de Paris

100 **Mahon** 1968, p 122

101 **Calvi** 1841, p 294

40
Le Guerchin
La vision de saint Jérôme
1641
Rimini
Oratorio della Confraternità di San Girolamo

Judith tenant la tête d'Holopherne

1651
toile H 1,18 ; L 1,52
Brest, Musée des Beaux-Arts
Inv 69.2.1

historique

Peint pour le pharmacien Giacomo Zanoni,
1651 ; cité par Félibien dans la collection de
l'abbé Mey à Lyon, 1685 ; acquis par le musée des Beaux-Arts de Brest, 1968.

bibliographie

Malvasia   1678, II, p 378 ;

Félibien   IV, 1685, p 231 ;

Le Comte   II, 1700, p 87 ;

Calvi   1808, p 127 ;

Calvi   1841, p 332 ;

Malvasia   1841, II, p 269 ;

Atti   1861, p 77 ;

Bonnaffé   1884, p 218 ;

Gastinel-Coural   1969, p 101 ;

Rosenberg   1972, p 346 note 13 fig 11 ;

Lehmann   1980, p 147 ;

Brejon de Lavergnée - Volle   1988, p 191 ;

Loire   1988, pp 314 fig 13, 315,
319 notes 68, 69 ;

Salerno   1988, pp 260, 347 n° 277, 379 ;

Mahon - Turner   1989, p 127.

exposition

Paris   1974-1975, n° 9.

œuvres en rapport

dessins

Londres   Vente Sotheby's, 6 juillet 1987, n° 1 (précédemment acquis par le Kimbell Art Museum de Fort Worth en 1975): Windsor Castle, collections royales.

copies

Cassel   Staatliche Kunstsamm lungen ;

Halle   Staatliche Galerie Moritzburg ;

Sarasota   The John and Mable Ringling Museum of Art ;

Turin   collection particulière.

Citée par Malvasia parmi les tableaux peints par le Guerchin en 1651, cette toile est sans doute celle qui lui fut payée par le pharmacien Giacomo Zanone le 1er avril 1651. Le paiement complexe qu'enregistre le livre de comptes ne fait apparaître qu'une rentrée de 78 écus et trois lires, le peintre l'estimant en fait à 128 ducats (ou 315 lires) — ce qui correspond, selon ses tarifs habituels, à un tableau comportant deux demi-figures et une tête comme celui-ci — mais ayant en outre reçu de son client divers objets pour une valeur de 325 lires. Cette mention comptable permet de mettre en évidence le fait que le Guerchin livrait parfois ses tableaux en échange de marchandises ; certains d'entre eux peuvent donc avoir échappé à l'enregistrement comptable du livre de comptes puisqu'ils étaient délivrés par le peintre au titre d'échange à ses fournisseurs, ou à celui de présents à des amis.

Quelques années plus tard, le 9 juin 1655, le Guerchin devait recevoir un autre paiement du même commanditaire pour une toile représentant cette fois *Ruben montrant à Jacob la tunique ensanglantée de Joseph* (fig 41) et de mêmes dimensions que la *Judith* de 1651 (115 × 165). Les deux pendants durent quitter assez vite l'Italie et se retrouvent en 1685 à Lyon où Félibien, qui connaissait le nom du commandi-taire et la date de la *Judith*, les mentionne dans la collection de l'abbé Mey. On ne connaît de ce personnage que les mentions de Félibien mais peut-être cet abbé était-il le frère ou un parent du négociant lyonnais d'origine italienne Ottavio Mey (?-1690) qui avait fait fortune dans la fabrication de la soie et comptait au nombre des amateurs lyonnais réputés au XVIIe siècle : il posséda notamment le *Bouclier de Scipion*, un grand bassin antique en argent qui fut vendu par ses héritiers à Louis XIV en 1697 (aujourd'hui au Cabinet des médailles de la Bibliothèque nationale).

La mention de Félibien fut reprise par Florent Le Comte à la fin du siècle mais celui-ci recopie fréquemment Félibien et il n'est pas sûr qu'il savait encore où se trouvaient ces deux tableaux au moment où il écrivait son livre. Ils durent d'ailleurs être l'un et l'autre copiés à plusieurs reprises — une paire de copies aujourd'hui au musée de Sarasota avait été achetée par le comte Grosvenor en 1758 — et l'une des copies de la *Judith*, celle du musée de Cassel, fut acquise pour le Landgraf Wilhelm VIII lors de la vente Tallard à Paris, en 1756, vente dont le catalogue proposait justement l'identification avec la toile citée par Félibien (Vente Tallard, Paris, 22 mars 1756, n° 71 ; tableau adjugé

41
Le Guerchin
Ruben montrant à Jacob la tunique ensanglantée de Joseph
1655
New York   Collection Richard Feigen

811 livres). On ne sait cependant ce que devinrent les deux tableaux de l'abbé Mey : elles se confondent peut-être avec les toiles du Guerchin sur ces mêmes sujets citées en 1780 par Ratti au Palais Carrega de Gênes **102** et n'ont réapparues que récemment.

Le Guerchin ne peignit qu'à deux reprises après 1629, en 1638 pour le duc de Modène et en 1651 pour Zanone, des toiles représentant *Judith tenant la tête d'Holopherne* qui furent payées des sommes équivalentes. Mais seule la composition du tableau de Brest peut, par son style et par son format — qui fut repris pour le pendant destiné à Zanone en 1655 —, se confondre avec celle de 1651, tandis qu'une copie ancienne du Guerchin, montrant une idée de composition voisine mais dans un format plus resserré, nous restitue probablement l'idée de toile de 1638 (*fig 42*).

Le sujet est tiré du Livre de Judith (13, 1-10), texte de l'Ancien Testament exclu du canon hébraïque et rejeté comme apocryphe par les Protestants **103**. Judith, femme juive veuve de Manassé, avait promis au roi Ozias de sauver son peuple assiégée dans la ville de Béthulie par Holopherne, général du roi assyrien Nabuchodonosor. Quittant sa toilette de deuil, elle se parfuma, revêtit sa toilette de fête, et se rendit avec sa servante auprès d'Holopherne sous prétexte de lui livrer des renseignements sur les assiégés. Venant auprès de lui et faisant sa conquête, Judith le laissa s'enivrer avant de lui trancher la tête que la servante, qui faisait le guet à la porte de la tente, glissa dans sa besace. Retournée à Béthulie, elle fit suspendre aux créneaux de la ville la tête d'Holopherne dont la vue fit fuir les Assyriens épouvantés. Fréquemment représenté par les peintres aux XVIIe siècle, ce sujet était en fait une fiction patriotique sans fondement historique : aucune ville d'Israël ne porta le nom de Béthulie et aucun général assy-

rien celui d'Holopherne tandis que Judith, dont le nom signifie *la Juive*, désignerait une incarnation du peuple plutôt qu'une personne réelle : ce serait la personnification du Judaïsme. Sorte d'héroïne nationale pour les Juifs, pendant féminin de David décapitant le géant philistin Goliath, elle allait, au Moyen Âge, préfigurer la Vierge victorieuse du démon mais aussi être un symbole de chasteté et d'humilité triomphant de la luxure et de l'orgueil incarnés par Holopherne. A partir de la Renaissance italienne, elle allait plutôt être admirée comme une tyrannicide donnant aux républiques libres l'exemple du meurtre des tyrans. Ces différents sens allaient partiellement s'effacer au XVIIe siècle où le geste de Judith, souvent retenue pour faire partie de galeries de "Femmes fortes" avec Lucrèce, Suzanne ou Didon, allait faire d'elle un sujet de choix pour les peintres caravagesques et de manière générale, pour les artistes souhaitant peindre des femmes richement vêtues et parées, à la fois belles et impitoyables. Mais sa vogue allait cependant être éclipsée par celle de Salomé — qui se distingue d'elle par le plat où elle reçoit la tête de saint Jean-Baptiste (*cf cat 6*) — dont l'insensible cruauté adolescente allait bien davantage inspirer les poètes, peintres et musiciens jusqu'au XXe siècle.

Les cheveux pris dans un filet à mailles rouges et bleues, somptueusement revêtue d'un tablier bleu outremer recouvrant une robe ocre à manches carmins, Judith contemple la tête d'Holopherne avec une froide décision mais sans que le peintre ait cherché à accentuer le contraste entre la jeune beauté victorieuse et la stupidité animale que créent parfois les représentations contemporaines de l'instant de la décapitation (Caravage, Palais Barberini). Avec résolution, elle glisse ici plutôt la tête livide aux yeux mi-clos du général assyrien dans un sac tenu par la servante qui guette à l'extérieur, au centre d'un triangle que déterminent les deux figures.

102 Ratti 1780, p 281

103 Réau II, 1, 1956, pp 329-330

42
d'après **Le Guerchin**
Judith tenant la tête d'Holopherne
original peint en 1637
collection particulière

Loth et ses filles

1651
toile H 1,72 ; L 2,22
Musée du Louvre
INV 75

historique

Peint pour Gerolamo Panessi mais livré à
Carlo II Gonzaga, duc de Mantoue, 1651 ;
payé par le duc de Mantoue avec un *Samson
et Dalila* (**cat 17**), 1657 ; présent dans les collections ducales de Mantoue jusqu'au début
du XVIIIe siècle ; mis en vente à Paris et acquis par M. Luvois, vers 1715-1720 ; Paris,
Vente M*** (Vaudreuil), 14 novembre 1784,
nº 11 (adjugé 12 000 livres à Lebrun) ; Paris,
vente M*** (Vaudreuil, 26 novembre 1786,
nº 1 (adjugé 8 005 livres à Rémy) ; Paris, collection de François de Laborde Méreville ;
sa vente, 10 août 1803, nº 21 (adjugé
3 000 francs) ; acquis pour le musée du
Louvre de M. Quatresols de la Hante avec
quatre tableaux flamands moyennant la
somme de 100 000 francs, 1817.

catalogues

1820, n° 932 ; 1823 n° 1005 ;

1831, n° 1034 ;

Villot 1849, I, n° 48 ;

Both de Tauzia 1883, I, n° 40 ;

1903, n° 1137 ;

Hautecœur 1926, II, n° 1137 ;

Brejon de Lavergnée - Thiébaut 1981, p 187.

bibliographie

Malvasia 1678, II, p 379 ;

Calvi 1808, pp 34, 145 ;

Calvi 1841, pp 294, 338 ;

Malvasia 1841, II, p 269 ;

Baruffaldi II, 1846, p 473 ;

Atti 1861, p 102 ;

Luzio 1913, p 166 ;

Communaux - Demonts 1914, p 73 n° 46 ;

Barbanti Grimaldi 1968, p 108 ;

Boyer 1968, p 149 ;

Mahon 1968, pp 86, 191, 192 ;

Pigler 1974, I, p 45 ;

Brejon de Lavergnée 1979, p 122 fig 29 ;

Loire 1988, pp 314 fig 14, 315, 319 ;

Salerno 1988, pp 14, 288, 345, 354 n° 284, 355, 364, 375.

œuvres en rapport

copie

Une copie peinte au Louvre en 1894 (Archives du Louvre, Registre des copistes, LL 27) ;

Rome collection particulière [104] ;

Senlis musée des Beaux-Arts (copie dessinée).

Dernier tableau du Guerchin à être entré au Louvre puisqu'il fut acquis en 1817 sous le règne de Louis XVIII, ce *Loth et ses filles* se trouvait dans les collections ducales de Mantoue au moins jusqu'au début du XVIIIᵉ siècle (*cf* **cat 17**). Peint selon Malvasia en 1651 pour l'amateur gênois installé à Rome, Gerolamo Panessi, il devait remplacer une première toile sur ce sujet destinée au même amateur en 1650 mais qui parvint en fait au duc de Modène, Francesco I d'Este. En effet, Malvasia révèle que cette première version fut livrée au *Commendatore* Giovanni Battista Manzini (*cf* **cat 8**) qui, soucieux de s'attirer les faveurs du duc de Modène, la lui offrit le 26 février 1651 lorsque celui-ci vint à Bologne écouter une représentation théâtrale, ce dont Manzini fut récompensé en se voyant attribuer un marquisat. Cette première toile est aujourd'hui à Dresde (*fig* **43**), après avoir été acquise à Paris en 1744 pour la galerie électorale de Saxe, lors de la dispersion des collections du cardinal de Polignac [105]. De la seconde version, peinte pour Panessi en 1651, Malvasia nous apprend que la voyant dans l'atelier du peintre lors d'une visite à Bologne, le duc et la duchesse de Mantoue le prièrent de la lui céder, ce qu'il accepta. Le Guerchin écrivit le 9 septembre au duc Carlo II Gonzaga pour lui annoncer l'envoi du *Loth et ses filles* à Mantoue ; il vint y rejoindre un autre de ses tableaux, *Herminie et le pasteur* peint vers 1619 pour Ferdinando Gonzaga et conservé aujourd'hui à Birmingham [106], avec lequel il semble être resté associé jusqu'à la fin du XVIIIᵉ siècle. Ils passèrent ensemble dans plusieurs ventes parisiennes mais furent séparés lors de la vente de Laborde-Méreville (1803) et le *Loth et ses filles* fut acquis peu de temps après, en 1817, pour le Musée Royal. Enfin, une troisième version de ce sujet fut finalement exécutée après 1651 pour Panessi qui ne la paya qu'en 1656. La composition de ce tableau, aujourd'hui perdu, nous est connue par une copie ancienne (*fig* **44**). Par la suite, pour faire pendant au *Loth et ses filles* aujourd'hui au Louvre, le Guerchin devait peindre en 1654 un *Samson et Dalila* (**cat 17**) pour le duc de Mantoue qui ne paya les deux toiles que le 23 décembre 1657.

Ces changements de propriétaires successifs d'une composition du Guerchin commandée par un amateur particulier, tout en attestant du succès de cette composition, sont très révélateurs des relations que le peintre entretenait avec ses clients et de ses comportements commerciaux : à la demande sans doute insistante de Manzini avec lequel il était lié depuis plusieurs années, il n'avait pas hésité à lui livrer un tableau

commandé par Panessi, un client plus nouveau ; pour satisfaire le duc de Mantoue, descendant d'un des premiers mécènes de sa jeunesse et qui voulait pour lui le second tableau peint par Panessi, il avait encore retardé la livraison à celui-ci, alors à Rome, d'une commande dont il était pourtant à l'origine : soucieux de ménager ses proches ou de s'attirer la faveur des grands susceptibles de figurer parmi ses bons clients, le peintre n'hésitait pas à retarder une livraison à un simple amateur, de surcroît si celui-ci se trouvait loin de Bologne (cf aussi **cat 12**).

Dans la toile du Louvre, comme dans les deux autres versions de ce sujet peintes pour Panessi, le Guerchin a représenté l'enivrement de Loth par ses deux filles (Genèse, 19, 30-38) : craignant de rester seules sur terre sans pouvoir perpétuer leur peuple après la destruction de Sodome et Gomorrhe, elles s'entendirent pour enivrer leur vieux père et lui faire commettre un double inceste. Les deux enfants devant naître de cette union illicite, Moab et Ammon, seront à la fois fils et petit-fils de Loth. Peu représenté avant l'époque de la Renaissance, ce sujet connut au contraire une grande faveur à l'époque de la Contre-Réforme. Souvent mis en pendant avec l'autre sujet biblique de *Suzanne et les vieillards*, il permettait d'opposer, dans des scènes à l'éro-

tisme hardi, la vieillesse décrépie de Loth s'enivrant à la beauté sensuelle de ses deux filles **107**.

Le Guerchin avait déjà traité ce sujet en 1617, pour le cardinal Ludovisi (*fig* **45**), et la comparaison de cette toile de jeunesse avec celle du Louvre met bien en évidence les transformations survenues dans son art entre ses débuts et la fin de sa carrière : "les figures se sont nettement différenciées, les formes sortent de l'ombre pour être baignées par une lumière claire et diffuse : les drapés sont maintenant clairement détaillés par l'emploi d'une facture d'une extraordinaire délicatesse et d'une gamme chromatique jouant sur des tons pastel, à la fois simple et délicieusement sensuelle ; l'interprétation même du sujet s'est transformée : les protagonistes fiévreux du drame biblique ont fait place à des acteurs paisibles d'une pastorale arcadique" **108**.

Adoptant une disposition des figures voisines de celles des deux autres *Loth et ses filles* peints pour Panessi (*fig* **43, 44**), en ayant recours aux mêmes accessoires — les fragments d'arbres sur les côtés, le turban de Loth tombé à terre ou les cruches que tiennent ses filles —, la toile du Louvre montre comment le peintre était capable de réinventer, à quelques mois d'intervalle, des compositions pourtant distinctes à partir d'un même sujet. Peinte dans une facture très soi-

gnée, nettement plus douce que celle des grands tableaux d'église, et qu'explique sa destination à une galerie de tableau, c'est peut-être la plus réussie des trois toiles sur ce sujet peintes pour Panessi par l'audace de sa composition rendant plus présent le drame qui se déroule : assis sur une draperie d'un violet à la fois riche et suave, le héros biblique est montré presque de dos, lié à sa fille par la longue courbe sensuelle de son bras, et buvant à la coupe qu'il tient au centre de la toile, dans une étonnante proximité imaginaire avec la lueur rougeoyante de l'incendie de Sodome et Gomorrhe.

104 Barbanti Grimaldi 1968, pl 235

105 Guiffrey 1899, p 253, n° 52 ;
　　　Rambaud I, 1964, p 608

106 Salerno 1988, n° 61

107 Réau II, 1, 1956, pp 118-119

108 Loire 1988, p 315

44
d'après **Le Guerchin**
Loth et ses filles
original peint entre 1651 et 1655
localisation actuelle inconnue

45
Le Guerchin
Loth et ses filles
1617
El Escorial Monasterio de San Lorenzo

La Vierge à l'Enfant
avec quatre saints
(Saint Géminien, saint
Jean-Baptiste saint Dominique
et saint Pierre Martyr)
dit aussi
Les saints protecteurs
de Modène

1651
toile H 3,32 ; L 2,30
Musée du Louvre
INV 84

historique

Commandé par le duc de Modène pour remplacer la *Madone de saint Georges* de Corrège
appartenant à l'église de la confrérie de
Saint-Pierre-Martyr de Modène, 1649 ;
sans doute terminé par le peintre en 1651
mais livré seulement en 1668 ; envoyé au palais
ducal de Modène, 1783 ; emporté en France
par les commissaires de la République française,
1796 ; collection du musée du Louvre, 1797.

catalogues

1801, n° 842 ; 1810, n° 982 ;
1816, n° 941 ; 1823, n° 1014 ;
1831, n° 1043
Villot   I, 1849, n° 55 ;
Both de Tauzia   1883, I, n° 46 ;
1903, n° 1143 ;
Ricci   1913, p 13 n° 1143 ;
Hautecœur   1926, II, n° 1143 ;
Brejon de Lavergnée - Thiébaut   1981, p 188.

bibliographie

Malvasia   1678, II, p 378 ;
Lazarelli   1714, p 70 ;
Pagani   1770, p 85 ;
Descrizione..., 1784, pp 49-50
Tiraboschi   1798, p 42 ;
Lebrun   1798, pp 39-40 ;
Notice..., 1798, p 85 ;
Landon   II, 1802, p 117, pl 59 ;
Landon   2ᵉ édition, IV, 1831, p 79, pl 49 ;
Malvasia   1841, II, p 269 ;
Baruffaldi   II, 1846, pp 473, 474 ;
Campori   1855, p 47 ;
Atti   1861, p 9 ;
Venturi   1882, pp 189, 277, 368 ;
Gruyer   1891, pp 249-251 ;
Communaux - Demonts   1914, p 74 n° 55 ;
Soli   1917, pp 10-11, 14, 20-21 ;

Voss   1922, p 219 ;
Rouchès   1929, pp 51 pl 61, 56-57 ;
Blumer   1936, n° 50 p 257 ;
Quintavalle   1939, p 82 ;
Grimaldi   1957, pl 139 ;
Réau   1958, III, 2, p 560 ;
Barbanti Grimaldi   1968, pl 225 ;
Mahon   1968, pp 199-201 n° 93 ;
Boyer   1970, p 103,
Cummings   1972, pp 60, 61 fig 6 ;
Soli   1974, III, pp 224, 232 ;
Gould   1976, pp 121, 122 fig 38, 206 ;
Berthier   1977, p 116 ;
Cuzin-Laclotte   1982, p 229 ;
Ficacci dans catalogue d'exposition
Ferrare   1983, p 148 ;
Gowing   1988, p 338 ;
Southorn   1988, p 69 ;
Salerno   1988, pp 26, 353, 358 n° 288 ;
Benati   1989, I, p 233 ;
Cellini   1989, II, p 773 ;
Mahon - Turner   1989, p 98.

expositions

Bologne   1968, n° 93 ;
Modène   1986, n° 97.

œuvres en rapport
dessin

Étude d'ensemble à Washington, National Gallery of Art (*fig 46*).

copies

Copie du tableau entier à Bourges (Cher), église Saint-Bonnet : peut-être la copie exécutée au Louvre en 1899 (Archives du Louvre, Registre des copistes, LL 27) ; diverses copies de détail dans des collections particulières : deux du groupe de la *Vierge à l'Enfant* ; trois du saint Jean-Baptiste ; une du saint Géminien avec l'enfant présentant la ville de Modène.

gravures

Charles Normand pour le recueil de Landon ; Andrea Bolzoni (1753 ; reprend les figures de saint Géminien et de l'enfant portant la maquette de Modène. Saint Géminien a été remplacé par saint Paternien, protecteur de Fano, ville que reproduit la maquette).

46
Le Guerchin
Etude pour la Vierge à l'Enfant avec des saints
Washington   National Gallery of Art

L'histoire de ce tableau est, encore une fois, liée de façon très étroite à l'activité de collectionneur du duc de Modène, Francesco I d'Este. Désireux d'enrichir sa galerie d'œuvres déjà anciennes, il n'hésitait pas à faire retirer, parfois de la manière la plus autoritaire, des tableaux d'autel de Corrège ou d'autres maîtres qu'il promettait de faire remplacer par des copies modernes. Il obtenait ainsi à très bon marché des œuvres insignes en détournant la protestation des paroissiens à qui elles étaient enlevées par ces copies contemporaines. Ces œuvres sont pour la plupart passées à Dresde en 1746 avec la fameuse vente, par Francesco III d'Este, de 100 tableaux à Auguste III de Saxe. C'est ainsi qu'en 1638, il fit enlever la *Madone de saint François* de Corrège de l'église San Francesco de Correggio, en 1640, *La nuit,* de San Prospero de Reggio Emilia, et en 1647, la *Vierge à l'Enfant avec sainte Marie-Madeleine et sainte Louise* (tableau perdu) de l'église d'Albinea, près de Reggio Emilia. En 1654, son successeur Alfonso IV allait à son tour faire retirer la *Madone de saint Sébastien* de la confrérie de Saint-Sébastien de Modène et entre temps, en octobre 1649, Francesco I avait encore fait enlever la *Madone de saint Georges* de la confrérie de Saint-Pierre-Martyr en remplacement de laquelle le Guerchin allait peindre le grand tableau aujourd'hui au Louvre. La plupart des copies modernes de ces œuvres étaient exécutées par le peintre de la cour de Modène originaire de Troyes, Jean (Giovanni) Boulanger, mais le duc de Modène proposa à la confrérie Saint-Pierrc-Martyr de faire exécuter celle-ci par le Guerchin qui accepta cette offre en demandant à pouvoir peindre son tableau plus grand, *"afin d'avoir un champ plus large pour y disposer toutes les figures qui sont dans celui de Corrège".*

Le choix du Guerchin, peintre plus célèbre que Boulanger, et donc plus "cher", s'ex-plique peut-être en partie par le fait que l'œuvre de Corrège peinte vers 1530-1532 et placée sur l'autel majeur de l'église de la confrérie Saint-Pierre-Martyr, était particulièrement vénérée par celle-ci, au point qu'elle laissait difficilement en exécuter des copies. Mais une autre raison pourrait tenir à un événement de la vie du Guerchin : le duc de Modène, le sachant très affecté par la mort de son frère Paolo Antonio Barbieri en juin 1649, l'invita dans sa résidence de Sassuolo en novembre de la même année. Il lui demanda peu après ce grand tableau, peut-être pour honorer sa présence de la commande d'un grand tableau d'autel remplaçant, et peut-être même égalant une œuvre insigne de Corrège. En fait, le Guerchin ne semble pas l'avoir exécuté avant 1651, date que Malvasia lui assigne, voir même 1652, lorsque l'église reçut, le 14 septembre, un cadre sculpté et doré pour ce tableau. Aucun paiement ne semble avoir été effectué au peintre par le duc — qui aurait dû le payer au moins 600 ducats selon les tarifs habituels du peintre, somme bicn faible en regard de l'estimation de 10 000 ducats de la *Madone de saint Georges* de Corrège faite au début du siècle ! — mais, pour une raison qui nous échappe, le tableau resta dans l'atelier du Guerchin. A plusieurs reprises après la mort du duc (1658), en 1659 et en 1662, la confrérie de

Saint-Pierre-Martyr adressa des suppliques à son fils Alfonso afin que celui-ci paie le tableau que le peintre envisageait de vendre ailleurs. Ce n'est qu'en 1668, deux ans après la mort du Guerchin, que ce grand tableau, enfin payé à ses héritiers, vint remplacer celui de Corrège dans l'église Saint-Pierre-Martyr de Modène, seize années après la mise en place du cadre qui avait peut-être reçue, entre-temps, une copie de l'œuvre de Corrège par Bartolomeo Schedone [109]

Le tableau du Guerchin ne devait pourtant pas rester dans cette église plus d'un siècle : en 1783, le duc de Modène Ercole III profitant du déplacement de la confrérie dans l'église San Salvatore plus vaste, fit emporter la toile du Guerchin dans sa galerie. C'est là qu'elle devait, en 1796, être prélevée par les commissaires français. Elle resta au Louvre après 1815, la galerie Estense de Modène ayant alors reçu à titre de compensation, deux importants tablcaux de Charles Le Brun, *Moïse défendant les filles de Jéthro* et *Moïse épousant une des filles de Jethro.* Comme Sir Denis Mahon l'a rappelé dans son avant-propos, ce grand tableau qui passait pour être particulièrement représentatif de l'art du peintre occupa toujours une place de choix dans l'accrochage du musée, notamment dans la "Tri-

47
Corrège
La Madone de saint Georges
vers 1530 — 1532
Dresde Staatliche Gemäldegalerie

bune" du Salon Carré. Pour autant, il n'y fut pas toujours également apprécié : en 1891, dans son *Voyage autour du Salon Carré*, François-Anatole Gruyer pouvait écrire : "*Les* Saints protecteurs de la ville de Modène, *au-dessus de la* Sainte Anne *de Léonard, n'ont d'autre raison d'être à cette place que de faire mieux comprendre, par leur insuffisance, le charme infini d'une des plus merveilleuses peintures qui soient au monde.*"

C'est au cours des premières années du XIXe siècle, peu après l'arrivée du tableau en France, que semble lui avoir été donné le titre iconographiquement injustifié des *Saints Protecteurs de la ville de Modène*. Cette désignation apparaît pour la première fois dans le catalogue du Muséum de 1801, peut-être à la suite de l'opuscule publié en 1798 par Jean-Baptiste-Pierre Lebrun qui, peu après l'arrivée d'Italie des tableaux prélevés en 1796, y commenta ceux du Guerchin en décrivant celui-ci comme représentant *"plusieurs saints intercédant pour la ville de Modène"*. En fait, seul saint Géminien, le saint évêque (?-348) du premier plan à qui un enfant présente une maquette de la ville de Modène, porte effectivement le titre de "protecteur" de Modène. Saint Pierre Martyr, le prêtre dominicain placé au fond de la composition est là au titre de saint Patron de la confrérie tandis que les deux autres saints, saint Georges et saint Jean-Baptiste, ne semblent pas répondre à une nécessité iconographique particulière.

Ayant reçu la commande de ce tableau en remplacement de celui de Corrège sur le même sujet (*fig* 47), le Guerchin, loin d'en fournir une simple copie l'a au contraire interprété sur un mode très personnel. La *Madone de saint Georges*, dernière grande œuvre votive de Corrège, montrait un retour du peintre aux motifs de composition de sa jeunesse hérités du Quattrocento, avec les quatre saints répartis symétriquement autour de la Vierge tenant l'Enfant et assise au

milieu d'eux, devant un fond architectonique très présent. Mais les figures y ont une telle importance — peut-être motivée par un souci d'émulation de la confrérie de Saint-Pierre-Martyr envers l'autre confrérie plus jeune de Modène, celle de Saint-Sébastien qui, quelques années plus tôt, lui avait commandé la *Madone de saint Sébastien* — et sont animées d'un rythme linéaire si accentué que le tableau semble en définitive plus complexe et plus sophistiqué que les précédents par l'artificialité voulue des poses idéalisées jusqu'à l'abstraction, y compris lorsque les acteurs, saint Jean-Baptiste ou saint Georges, interpellent le spectateur à l'intérieur du tableau.

Habitué à peindre des personnages grandeur nature, le Guerchin n'aurait pu, sur une toile des dimensions du panneau de Corrège (2,85 × 1,90), y introduire les mêmes figures en donnant à chaque personnage son autonomie en tant que figure séparée et c'est pourquoi il demanda à peindre une toile plus grande que l'œuvre originale. S'il n'a pas hésité à reprendre le procédé d'apostrophe au spectateur par une des figures, celle de saint Georges qui est celle ayant le moins varié par rapport à celles de Corrège, sa composition diffère de l'autre par la division affirmée entre deux registres, céleste et terrestre, mais surtout, par la nette séparation des figures en profondeur selon une séquence magistralement étudiée. Il en résulte que son tableau, d'appel moins direct que celui de Corrège — dont il a peut-être volontairement cherché à éviter la symétrie archaïsante — a recours à un type de composition "anticlassique" rappelant en partie les tendances "baroques" de ses années préromaines, alors que son esprit, comme les détails de son exécution, révèlent un parti classicisant affirmé : l'articulation nette des figures dont le dessin définit soigneusement les contours, les tonalités pastel de la palette —

l'orangé du ciel ou le revers de l'habit de saint Géminien — qui crée des correspondances soigneusement équilibrées à l'intérieur de la toile entre, par exemple, la robe de la Vierge et la tunique de saint Sébastien. Ainsi, tout en se démarquant nettement de Corrège dont la composition traditionnelles aurait pu lui fournir un modèle, le Guerchin, par la répartition différente des motifs — comme celui de l'Enfant Jésus attiré par la maquette de Modène que tient saint Géminien —, et par un retour volontaire à un mode de composition baroque dans une toile d'esprit classique, a donné un des exemples les plus accomplis du grand tableau votif bolonais tel que l'avaient développé avant lui Annibal Carrache puis Guido Reni.

109 Soli 1917, p 21

Samson et Dalila

1654
toile H 1,72 ; L 2,20
Strasbourg, Musée des Beaux-Arts
Inv 316

historique

Peint par le Guerchin pour Carlo II Gonzaga, duc de Mantoue, 1654 ; payé par le duc avec un *Loth et ses filles* (**Cat 15**), 1657 ; présent dans les collections ducales de Mantoue jusqu'au début du XVIIIᵉ siècle ; mis en vente à Paris ou à Londres, vers 1715/1720 ; collection de Sir Charles Robinson de Londres et donné par lui au musée de Strasbourg, avant 1903.

catalogues

Dehio 1903, n° 323 ;

Dehio - Polaczek 1912, n° 323 ;

Haug 1938, n° 259 bis.

bibliographie

Malvasia 1678, II, p 380 ;

Calvi 1808, p 145 ;

Malvasia II, 1841, p 338 ;

D'Arco 1857, II, pp 184, 188 ;

Luzio 1913, p 106 ;

Rosenberg 1972, p 346 note 13 fig 12 ;

Pigler 1974, I, p 129 ;

Brejon de Lavergnée - Volle 1988, p 194 ;

Loire 1988, pp 315 fig 15, 319 ;

Salerno 1988, pp 354, 375 n° 307 ;

œuvre en rapport

copie

Londres vente Christie's, 16 décembre 1976, n° 170, pl 41 (H 1,69 ; L 2,20).

On connaît mal la provenance récente de ce tableau donné au musée de Strasbourg par Sir Charles Robinson avant 1903. Occupant une place éminente dans le monde des collectionneurs britanniques de l'époque victorienne, Charles Robinson (1824-1913) avait été conservateur au South Kensington Museum (l'actuel Victoria and Albert Museum) puis, de 1882 à 1901, *Surveyor* des collections de tableaux de la reine Victoria [110]. Collectionnant également pour lui-même ou pour revendre à des musées ou à des amateurs privés, il avait accru ses activités de marchand après 1869, lorsque soupçonné d'avoir revendu des objets à son musée avec un trop grand profit, il avait dû démissionner de son poste à South Kensington. Tout en continuant à recommander des acquisitions à ce musée, il fit de même avec d'autres institutions britanniques ou étrangères, parmi lesquelles figurait le musée de Strasbourg. Très activement dirigé à la fin du XIXᵉ siècle par Wilhelm von Bode, le directeur des musées de Berlin, ce musée acheta plusieurs tableaux à Robinson qui en offrit d'autres, dont ce *Samson et Dalila*.

Se confondant certainement avec la toile sur ce sujet peinte pour le duc de Mantoue en 1654 selon Malvasia, ce *Samson et Dalila* n'avait été livré à son commanditaire qu'en 1657 : le Guerchin enregistra dans son livre de comptes un paiement de 555 *écus* pour ce tableau et pour un *Loth et ses filles* (notre **cat 15**) le 23 décembre 1657 et le jour suivant, il écrivait au duc pour lui en annoncer l'envoi. Il est vraisemblable que le peintre avait attendu le paiement pour expédier ce tableau qui, depuis trois ans, était resté dans son atelier. Mais il importe surtout de noter que le *Samson* fut commandé par le duc pour servir de pendant au *Loth* de 1651 : de dimensions exactement semblables, les deux toiles furent payées ensemble et malgré un état de conserva-tion un peu décevant pour le *Samson*, leur réunion, à l'occasion de l'exposition, permettra de mettre en évidence l'analogie des deux sujets. Elle se retrouvent ensemble dans des inventaires des collections ducales de Mantoue dressés en 1665 et vers 1700, puis dans une liste de tableaux proposés à la vente en 1711. Cette vente eût lieu à Paris et à Londres, au cours des années 1715/1720 et un certain "M. Luvois", peut-être un fils du premier ministre de Louis XIV, y acquit alors le *Loth* [111].

Ce sujet biblique tiré du livre des *Juges* (16, 19) illustre la trahison de Samson par Dalila : soudoyée par les Philistins, cette courtisane dont Samson était tombé amoureux essaya de lui extorquer le secret de sa force herculéenne. Celui-ci lui ayant révélé que sa force résidait dans ses cheveux, elle l'enivra, et lui coupa les cheveux. Isolant, à gauche de la toile, les deux protagonistes des trois Philistins qui s'apprêtent à se saisir du héros biblique et à l'aveugler, le Guerchin a judicieusement intercalé deux colonnes massives qui séparent fictivement les deux groupes tout en rétablissant l'équilibre de la composition. Sa Dalila, bien dévêtue mais montrant un profil rigoureusement classique, est coiffée d'une élégante résille telles que celles d'autres héroïnes du peintre. Sa main droite tient une paire de ciseaux luisant qui répondent à l'éclat métallique de la cuirasse de l'un des trois Philistins, tandis que Samson s'est endormi avec confiance sur ses genoux. Délaissant l'agitation fiévreuse de la *Capture de Samson* qu'il avait peint dans sa jeunesse (*fig* **17**), le Guerchin a peint le moment antérieur, plus statique de l'histoire, mais la résumant pourtant dans sa totalité.

[110] **Sumner** 1989, pp 226-230

[111] Informations communiquées par Martin Eidelberg.

Saint Jean-Baptiste
à la source

1662
toile H 2,43 ; L 1,69
Montpellier, Musée Fabre
Inv D. 896-1-1

historique

Peint pour l'église des Oratoriens de Fano, 1662 ; retiré par les commissaires de la République française et emporté en France, 1797 ; collection du musée du Louvre, 1798 ; envoi de l'État au musée de Strasbourg, 1801 ; réclamé par les alliés mais resté au Louvre, 1816 ; dépôt du Louvre (INV 88) au musée Fabre de Montpellier, 1896.
Tableau restauré en 1990 grâce au concours de la Florence Gould Foundation de New York.

catalogues

Louvre

1820, n° 944 ;

1823, n° 1018 ;

1831 ; n° 1047 ;

Villot   I, 1849, n° 59 ;

Both de Tauzia   1883, I, n° 50 ;

Brejon de Lavergnée - Thiébaut   1981, p 291.

Montpellier

d'Albenas   1904, n° 620 ;

Joubin   1926, n° 15 ;

Claparède   1968, II, p 103.

bibliographie

Cochin   1758, I, p 94 ;

Lalande   1786, VIII, p 174 ;

Calvi   1808, p 154 ;

Notice...,   1816, n° 2 p 2 ;

Calvi   1841, p 341 ;

Clément de Ris   1859, I, p 321 ;

Clément de Ris   1872, p 502 ;

Castellani   1900, p 63 ;

Communaux - Demonts   1914, p 75 n° 59 ;

Schneegans   1914, pp 40, 43 ;

Blumer   1936, n° 71 p 260 ;

Boyer   1970, p 90 ;

Brejon de Lavergnée - Volle   1988, p 193 ;

Loire   1988, pp 315, 316 fig 16, 319 ;

Salerno   1988, pp 26, 294, 400 n° 340 ;

Calegari   1989, pp 158-159, 160 fig ;

Mahon - Turner   1989, p 96.

œuvres en rapport

copies

Deux copies peintes au Louvre en 1852 et 1853 (Archives du Louvre, Registre des copistes, LL 26).

Ce tableau, peint sur une toile épaisse, assez lâche, à préparation rouge, a été anciennement rentoilé. Son large réseau de craquelures d'âge est assez prononcé mais considéré comme acceptable et l'ensemble est solide.

La composition n'étant plus lisible, la couche picturale vient de faire l'objet d'une restauration : allégement d'une épaisse couche de vernis assombri et qu'une forte sensibilité à l'humidité avait opacifié, purification de repeints gênants, réintégration.

La purification de la couche picturale a constitué l'essentiel de l'intervention avec l'enlèvement de généreuses retouches masquant des altérations acquises au cours du temps, notamment de fins réseaux de craquelures prématurées et des usures des parties ombrées et surtout, dans les parties claires chargées en matière, une multitude de points noirs que l'on a supposé être une attaque de micro-organismes. Intervention réalisée par Nicole Delsaux et Florence Delteil

Avec la collaboration d'Odile Cortet pour la notice.

L'un des derniers tableaux du Guerchin qui nous soient parvenu, ce *Saint Jean-Baptiste à la Source* qu'il exécuta à l'âge de soixante-dix ans est aussi la dernière de ses œuvres conservées en France. Non cité par Malvasia, il apparaît dans le livre de comptes à la date du 6 octobre 1661, lorsque le père oratorien Ettore Ghisiglieri le paya à l'artiste la somme de 175 écus *"pour la ville de Fano".*

Cette ville de la côte adriatique, située en bordure des Marches, était alors un des centres les plus méridionaux de la zone de clientèle du peintre. C'était aussi l'un de ceux, avec d'autres villes des Marches, Ancône surtout mais aussi Senigallia, Osimo ou Recanati, dans lequel il était "arrivé" le plus tard : il ne peignit qu'en 1641 un *Ange gardien* pour l'église Sant'Agostino de Fano et en 1649 un *Mariage de la Vierge* pour celle de San Paterniano. En effet, l'implantation commerciale de ses œuvres en Romagne et dans les Marches ne se fit que relativement tard dans sa carrière, et probablement parce que sa clientèle traditionnelle en Emilie ne suffisait plus. Les commandes de grands tableaux d'autel, qui occupèrent la moitié de l'activité du Guerchin pendant toute sa carrière, s'essoufflaient après un demi-siècle d'activité dans des centres déjà riches de ses œuvres, Bologne, Modène ou Reg-

gio Emilia, et il lui fallait conquérir de nouveaux marchés [112]. En raison de la rareté des artistes locaux, la Romagne et les Marches lui en fournirent l'opportunité à partir des années 1640, alors que s'y affirmaient la nécessité de réorganiser les confraternités et les couvents, mais aussi la recherche de prestige de l'aristocratie locale en perte de vitesse vis-à-vis des couches sociales montantes de la bourgeoisie [113]. L'arrivée d'œuvres bolonaises dans ces régions accompagna d'ailleurs une tentative de reprise en main, à la fois politique, économique et religieuse de ces régions par les légats pontificaux : soucieux d'y réduire l'influence du duché d'Urbin, de la Toscane ou de Venise, il leur fallait donc promouvoir des produits artistiques de substitution à ceux de ces états rivaux. Avec son style à la fois solennel et pathétique, participant d'un baroque tempéré déjà largement éprouvé et approprié à toutes les grandes commandes religieuses, l'art du Guerchin des années 1640 leur fournissait un instrument adéquat. L'implantation commerciale du Guerchin dans ces marchés nouveaux fut donc permise grâce à l'arrivée d'œuvres importantes comme le *Saint Jérôme* peint pour Rimini en 1641 (*fig* 40) : celui-ci y provoqua en effet une sorte de choc visuel qui eut pour conséquence immédiate non pas tant une série de commandes locales au peintre — qui restait malgré tout un artiste "cher" — que l'introduction de son art dans cette ville et ses environs grâce à l'arrivée massive de toiles de ses suiveurs, en particulier celles de Lorenzo Gennari qui s'était installé à son compte à Rimini après plus de quinze années passées dans l'atelier du maître [114]. Outre les légats qui jouèrent fréquemment un rôle pour la diffusion des œuvres du Guerchin en Romagne et dans les Marches, d'autres réseaux, ceux des ordres religieux, jouèrent un rôle non négligeable et leur existence permet d'expliquer la commande du *Saint Jean-Baptiste*

à la source par un père oratorien de Bologne, pour une église de Fano se rattachant à cet ordre.

Ami de longue date du Guerchin, le compte Ettore Ghisiglieri avait commandé plusieurs tableaux au peintre dans les années 1640 et il l'avait accueilli avec l'Albane, Alessandro Tiarini ou Michele Desubleo, dans une académie qu'il institua de 1646 à 1652 dans son palais bolonais. Quittant la vie civile en 1652 pour rentrer dans l'ordre des Oratoriens, Ghisiglieri ne cessa pas pour autant de faire travailler le peintre et il lui obtint la commande d'un grand *Saint Philippe Néri* en 1647 pour l'église bolonaise des Oratoriens de Santa Maria in Galliera. Il servit peut-être d'intermédiaire indirect en 1656 pour la commande d'un tableau représentant le même saint destiné à la République de San Marino [115] et c'est lui qui paya au peintre le *Saint Jean-Baptiste* aujourd'hui à Montpellier.

Le tableau devait y être remarqué par des voyageurs de retour de Rome au XVIIIe siècle : Cochin le qualifiait en 1758 de *"mol, trop rouge, point beau"* et Lalande, en 1786, jugeait la figure *"roide, dure de dessin et de couleur"* ; ces mentions pourtant dépréciatives permettent peut-être d'expliquer pourquoi cette toile fut emportée par les commissaires de la République française en 1797, alors qu'elle se trouvait si loin des autres

tableaux du peintre prélevés en Emilie.

Dernière version d'un sujet que le peintre avait traité à plusieurs reprises (*fig* 48), le tableau montre le Précurseur au désert, dans un environnement rappelant ceux d'autres figures de saint ermites (**cat 12**). Le genou appuyé sur une souche, enveloppé dans une draperie rouge formant avec le fond du ciel un accord chromatique que le peintre avait souvent su créer dans des œuvres antérieurs, il tend une écuelle vers une source faisant référence à l'eau du baptême. Cinq années avant sa mort, le Guerchin est, une nouvelle fois, parvenu à conjuguer, comme dans une version de ce même sujet peinte vers 1652-1655 pour orner sa propre maison, "monumentalité et légèreté, romantisme et intimité, recherche de l'idéal et naturel humain" (D Mahon).

112 Bonfait à paraître

113 Pasini 1987, pp 16-17

114 Bagni 1986, pp 219-239

115 Salerno 1988, n° 319

48
Le Guerchin
Saint Jean-Baptiste à la source
1652
Rome   Galerie Doria Pamphili

Portrait du peintre tenant une palette

toile H 0,77 ; L 0,62
Musée du Louvre
INV 87

historique

Entré dans les collections du musée du Louvre à une date inconnue au début du XIXe siècle (provient vraisemblablement de la saisie d'une collection d'émigré).

catalogues

1801, n° 829 ; 1816, n° 880 ;
1820, n° 931 ; 1823, n° 1004 ;
1831, n° 1046 ;
Villot I, 1849, n° 58 ;
1903, n° 1148 ;
Ricci 1913, p 14 n° 1148 ;
Hautecœur 1926, II, n° 1148 ;
Brejon de Lavergnée - Thiébaut 1981, p 188.

bibliographie

Landon 2e édition, IV, 1831, p 82 ;
Baruffaldi II, 1846, p 473 ;
Lalanne 1885, p 185 ;
Communaux - Demonts 1914, p 75 n° 58 ;
Gowing 1988, p 337 ;
Cuzin 1977, p 57 ;
Salerno 1988, pp 5, 7 fig 2 ;
Loire 1990, à paraître.

œuvres en rapport

Un *Autoportrait* du Guerchin ayant probablement servi de modèle au tableau du Louvre à **New York** marché d'art.

La provenance de ce tableau est inconnu mais l'absence de mentions le concernant dans les inventaires des collections royales d'avant la Révolution, et l'origine d'"Ancienne collection" figurant dans les inventaires du musée, invite à penser qu'il y entra sous la Révolution, vraisem-blablement à la suite de la saisie d'une collection d'émigré. Dans la terminologie utilisée par les conservateurs du Louvre sous la Restauration, cette expression d'"Ancienne collection" servait en effet fréquemment à désigner des œuvres entrées au musée pendant les premières années de son existence et sur l'origine desquelles il valait parfois mieux rester imprécis, afin d'éviter d'avoir à les restituer à leurs propriétaires d'origine ou à leurs descendants. Il faut cependant noter que cet *Autoportrait* supposé du peintre, désigné comme tel dès son arrivée au musée semble-t-il, n'apparaît pas dans les registres d'entrées des saisies d'émigrés du dépôt de la rue de Beaune à Paris en 1794 ; mais peut-être y était-il arrivé sous un autre nom d'artiste.

Malgré l'absence de strabisme du peintre paraissant ici âgé d'une trentaine d'années, et malgré surtout la facture sèche et trop appliquée de la toile — dans le dessin trop fini des cheveux, la boutonnière de la veste ou l'application des couleurs du peintre sur sa palette —, trop dif-

férente de celle, plus libre et plus légère que l'on aurait pu attendre du Guerchin à cette époque de sa vie, il était possible d'y reconnaître le reflet d'une œuvre de sa main. Les traits du peintre ici représenté paraissent en effet très proches de ceux d'un *Autoportrait* montrant le peintre âgé d'une cinquantaine d'années connu par une co-pie ancienne des collections royales anglaises (*fig 49*). La réapparition récente d'une toile cer-tainement autographe du Guerchin, légèrement réduite sur les bords par rapport à celle du Louvre mais lui ayant probablement servi de prototype, conforte l'identification de son mo-dèle avec le peintre. L'œuvre originale, dont le style est compatible avec une datation vers 1625, aurait pu, avant même d'être mise sur un châssis aux dimensions actuelles, servir à des copies exécutées dans l'atelier de Guerchin, à la de-mande de proches souhaitant conserver son por-trait ; à cet effet, le peintre aurait pu faire présent de l'œuvre originale et en conserver la copie, ou plus vraisemblablement, en raison de l'absence du strabisme dans celle-ci car peut-être jugé "inutile" dans un tableau destiné à un don, la donner et conserver l'original.

Quoi qu'il en soit, le tableau du Louvre nous restitue certainement avec fidélité les traits du peintre qui fit peu de portraits mais s'est

peint ici revêtu d'un élégant costume à large col blanc, fort de l'assurance que le récent séjour dans la ville éternelle, au service du pape Gré-goire XV, avait pu donner à cet artiste encore jeune.

49
Benedetto Gennari d'après **Le Guerchin**
Portrait du Guerchin devant un tableau représentant l'Amour fidèle
Hampton Court   Collections royales anglaises

Atelier du Guerchin

Circé

toile H 1,24 ; L 0,96
Musée du Louvre
INV 86

historique

Don du prince Don Camillo Pamphili
à Louis XIV, 1665 ; mentionné à Versailles
à partir de 1695 ; collection du musée du
Louvre, 1797.

catalogues

1801, n° 830 ; 1810, n° 984 ;
1816, n° 891 ; 1820, n° 943 ;
1823, n° 1016 ; 1831, n° 1045 ;
Villot I, 1849, n° 57 ;
Both de Tauzia 1883, I, n° 48 ;
1903, n° 1147 ;
Ricci 1913, pp 13-14 n° 1147 ;
Hautecœur 1926, II, n° 1147 ;
Brejon de Lavergnée - Thiébaut 1981, p 188.

bibliographie

Monicart 1720, II, p 380 ;
Lépicié II, 1754, p 307 ;
Dezallier d'Argenville 1762, II, p 158 ;
Filhol - Lavallée II, 1802, pp 5-6, pl 80 ;
Laurent 1816, I, p 275 ;
Landon 2ᵉ édition, IV, 1831, p 82, pl 52 ;
Baruffaldi II, 1846, p 473 ;
Guizot 1852, p 257 ;
Atti 1861, p 96 ;
Veyran 1877, n° 54 ;
Lalanne 1885, p 185 ;
Engerand 1899, pp 62, 192 ;
Communaux - Demonts 1914, p 75 n° 57 ;
Voss 1922, p 220 ;
Rouchès 1929, p 56 ;
Feray (1963) 1964, p 77 ;
Levey 1964, p 85 ;
Garms 1972, p 142 ;
Cuzin 1977, p 57 ;
Verbraeken 1979, pp 186, 187 fig ;
Constans 1980, p 162 ;
Guillaume 1980, p 37 ;
Brejon de Lavergnée 1987, pp 33, 70, 71,
374-375 n° 374, 378 ;
Carlier 1987 (1989), pp 49, 53 ;
Salerno 1988, pp 20, 272, 428 ;
Mahon - Turner 1989, p 142.

exposition

Bordeaux 1964, n° 37.

œuvres en rapport

copies

Auch musée des Beaux-Arts
(dépôt du Louvre, INV 90) ;
Dijon musée des Beaux-Arts ;
Paris hôtel Tannevot ;
Paris collection particulière ;
Versailles musée national du Château
(cette copie, ou celle du musée d'Auch, pourrait se confondre avec celle peinte par François
Stiémart que Nicolas Bailly signalait en 1709
dans l'appartement du duc d'Antin à
Versailles) ; six copies exécutées au Louvre
de 1851 à 1857 (Archives du Louvre, Registres
des copistes, LL 26).

gravures

Lithographie de Deloyes (XIXᵉ siècle) ; lithographie de Desmonnes (XIXᵉ siècle) ; Desvil-
liers pour le recueil de Landon ; Gandolfi
pour le recueil de Filhol-Lavallée ; Godefroy
pour le recueil de Laurent.

Inventoriée en 1683 aux Gobelins par Charles Le
Brun dans son recensement des tableaux de
Louis XIV, cette *Circé* avait fait l'objet, en 1665,
d'un don du prince romain Camillo Pamphili au
roi avec sept autres tableaux. Le 19 décembre
1664, Hugues de Lionne, Secrétaire d'État de Sa
Majesté aux Affaires étrangères, écrivait au
prince Pamphili qu'il avait bien transmis au roi
que : *"ayant sceu que Sa Majesté ayme la peinture,
Votre Excellence souhaitteroit avec passion que des
tableaux qu'elle a pussent estre agréables a sudite
Majesté"*. Pamphili envoya donc à Louis XIV huit
tableaux qui, arrivés à Paris en septembre 1665,
furent sortis de leurs caisses en présence du
Bernin alors à Paris pour les projets du Louvre
et qui avait conseillé l'expéditeur pour le choix
des œuvres. La première des deux caisses, en-
dommagée par l'humidité, contenait, outre la
Circé, une toile de l'Albane et une autre de
Castiglione, ainsi que la *Diseuse de bonne aventure* de Caravage et *La Vierge à l'Enfant avec
saint Étienne, saint Jérôme et saint Maurice* de
Titien, deux œuvres aujourd'hui au Louvre. La
seconde caisse, épargnée par l'eau, contenait
trois toiles elles aussi au Louvre : *La pêche* et *La
chasse* d'Annibal Carrache ainsi qu'un *Saint
François en extase* de Guido Reni, seule œuvre de
cet envoi à trouver grâce aux yeux du Bernin.

Celui-ci n'avait d'ailleurs recommandé l'envoi que de la toile de Titien mais sans doute le prince Pamphili, d'une famille dont un membre avait occupé le trône pontifical de 1644 à 1655 sous le nom d'Innocent X, avait-il estimé que le don d'une seule œuvre, fût-elle de Titien, paraî-trait trop modeste au souverain du plus puissant état de la Chrétienté, et selon les modalités habituelles de tels présents diplomatiques: Louis XIV avait reçu quatre toiles du cardinal Chigi en 1664 — dont deux peintes à cette occasion par Salvator Rosa et Jacques Courtois — et il devait, la même année, se voir offrir par la République de Venise, l'immense *Repas chez Simon* de Véronèse aujourd'hui à Versailles. Il faut cependant s'étonner de ce que l'envoi Pam-phili ait mêlé des œuvres aussi disparates: à côté de celles, importantes de Titien, Caravage, An-nibal Carrache ou Reni, on y trouve d'autres toiles plus modestes qui ne sont plus aujourd'hui retenues que comme copie d'un original de l'Albane pour la *Diane et Actéon* donnée à celui-ci (Rennes, musée des Beaux-Arts), ou dériva-tion d'atelier du Guerchin pour la *Circé*.

En effet, le *"demi-corps du Guerchin"* cité par Chantelou dans son récit du voyage du Bernin à Paris dans l'envoi du prince Pamphili en 1665 — et que son envoyé Francesco Manto-

vani identifiait précisément comme une *Circé* dans une lettre à son maître du 2 octobre 1665 [116] —, ne saurait plus passer pour être du peintre lui-même: l'ornementation surabon-dante de la figure et la platitude de son exécution paraissent faibles en regard de la production du Guerchin des années 1635-1650 à laquelle le tableau se rattache pourtant et le désignent plu-tôt comme une œuvre d'atelier, dérivée du maître. De fait, la figure de *Circé* reprend exac-tement celle de la Samaritaine dans une compo-sition représentant *Le Christ et la Samaritaine* (*fig* 50) peinte en 1640 et répétée l'année sui-vante [117] : tout en gardant la pose et la disposi-tion des plis des vêtements de la Samaritaine, le peintre de la *Circé* l'a coiffée d'un turban orné d'une agrafe de diamants et d'une aigrette de perles, il a remplacé son simple vase de terre par un autre d'or à l'ornementation surchargée et il a substitué une baguette de magicienne à la corde de puits que tenait la Samaritaine.

C'est en effet la déesse et magicienne antique qui est ici figurée, la fille du Soleil et de Perséa, qui empoisonna le roi des Sarmathes après l'avoir épousé. Dans l'*Odysée* (Chant X, repris dans les *Métamorphoses* d'Ovide, Chant XIV), Homère rapporte tous les maléfices et enchantements que l'Antiquité attribuait à

Circé dont Ulysse partagea la couche afin de libérer ses compagnons transformés en porcs par des breuvages qu'elle avait préparées. Créature à la fois belle et cruelle, enchantant les hommes de sa voix mélodieuse avant de les changer en animaux, Circé fut rarement représentée dans l'Antiquité. Mais un roman de Giovanni Battista Gelli publié à Florence en 1549 qui la prenait pour héroïne et devait être largement diffusé, fut peut-être à l'origine d'une vogue nouvelle pour la déesse. Cette toile, traditionnellement attri-buée au Guerchin, et du vivant même de l'ar-tiste, contribua à en fixer les traits qui, repris dans de nombreuses gravures et copies jusqu'au XIXe siècle, furent abondamment célébrés: *"Au-cun sujet ne se prêtait davantage à la magie du Guerchin que le portrait de cette magicienne (...); Circé tient sa dangereuse baguette, porte un vase rempli de poison: son livre mystérieux est à côté d'elle; notre imagination est disposée à supposer là des passions, du clair-obscur, une puissance irritée qui va produire d'effrayants sortilèges. Le Guerchin n'a cherché que la grâce; sa Circé est plus sédui-sante qu'entraînée; son expression est douce, calme; (...) on dit qu'elle prépare un meurtre mais rien ne l'annonce; et la tête est charmante sans que rien y indique une femme plus passionnée ou plus redou-table qu'une autre"* (Laurent, 1816).

116 Garms 1970, p 142

117 Salerno 1988, n° 189

La gloire de tous les saints
1613
(tableau perdu)

La gloire de tous les saints

plume et encre brune, lavis brun,
rehauts de blanc,
mise au carreau à la pierre noire
H 0,400/0,404 ; L 0,202/0,205
Musée du Louvre
Cabinet des dessins
Inventaire 7956

historique

Collection Jabach ;
acquis pour le Cabinet du Roi, 1671.

bibliographie

Mahon 1968, p 12 ;
Mahon 1969, pp 20, 39-40 ;
Bean 1969, p 429 ;
Salerno 1988, p 84, fig ;
Mahon - Turner 1989, p 66.

exposition

Bologne 1968, nº 1.

Étude préparatoire pour le premier grand tableau d'autel du Guerchin, la *Gloire de tous les saints*, qu'il peignit en 1613 pour l'église du Santo Spirito de Cento et qui est aujourd'hui disparu. Attribué à Ludovic Carrache lors de son acquisition par Louis XIV, ce dessin fut mis en rapport avec le tableau du Guerchin lorsque celui-ci arriva à Paris, après avoir été prélevé à Cento par les commissaires de la République. Décrivant ce tableau en 1798, la *Notice des principaux tableaux recueillis dans la Lombardie* (nº 67) indiquait en effet que le *"Musée national possède une première pensée de cette composition dessinée à la plume sur papier bistre et rehaussé de blanc"*. Affecté à la cathédrale de Notre-Dame de Paris en 1802, ce grand tableau a cessé d'être mentionné après 1811. Il semble avoir disparu vers 1814/1815 et reste à retrouver — peut-être en France ? —, à moins qu'il n'ait été détruit depuis. Sa composition n'est plus connue que par des copies anciennes qui ont permis à Denis Mahon de retrouver à notre époque ce dessin qui était classé parmi ceux de l'"École des Carrache". Montrant, au-dessus d'une assemblée de saints, le Christ accueillant la Vierge dans le ciel, il présente effectivement un style très proche de celui de Ludovic Carrache avec la définition sommaire des figures par le trait d'encre, tandis que les rehauts de lavis brun, et surtout de blanc, créent de vibrants contrastes lumineux.

Un miracle de saint Charles Borromée
vers 1613-1614
Renzazzo di Cento, Église San Sebastiano   *(fig* **51**)

Femme tenant un enfant

fusain et pierre noire, rehauts de blanc
H 0,292 ; L 0,193
Musée du Louvre
Cabinet des dessins
Inventaire 12105

historique
Entré dans le Cabinet du Roi à une date
inconnue.

bibliographie
Griseri   1958, pp 71-72, pl 49 ;
Longhi   1968, p 64 ;
Mahon   1968, p 28 ;
Mahon   1969, p 40 ;
Roli   1972, p 17, pl 1 ;
Salerno   1988, p 87 ;
Turner   1988, pp 532 fig 55, 534.

exposition
Bologne   1968, n° 2.

Ce dessin, dont l'attribution au Guerchin a été contestée par Roberto Longhi, a été identifié parmi les « anonymes italiens » par Andreina Griseri comme une étude préliminaire pour *Un miracle de saint Charles Borromée*, tableau peint par le Guerchin vers 1613-1614 pour l'église de Renazzo di Cento, non loin de sa ville natale. Montrant, comme les deux autres tableaux peints pour la même église, une "piété rustique appropriée à l'église d'une petite communauté de campagne" (N Turner), cette toile représente le saint rendant la vue à une enfant aveugle : celle-ci attire l'attention de sa mère vers l'apparition du saint. Mêlant fusain, pierre noire et rehauts de blanc dans une technique s'apparentant à celle des dessins tardifs de Ludovic Carrache et créant une subtile modulation tonale, ce dessin préparatoire pour la figure de gauche a été repris presque exactement dans le tableau, malgré le cadrage plus serré coupant le drapé flottant au dos de la figure dessinée. Un autre dessin pour la tête de la petite fille que le saint guérit, autrefois dans la collection Rudolf Joseph de Londres et d'une technique voisine, a été publié par Nicholas Turner.

51
Le Guerchin
Un miracle de saint Charles Borromée
vers 1613 — 1614
Renazzo di Cento   Eglise San Sebastiano

La Vierge à l'Enfant
vers 1615-1616
Rome, Palais Malvezzi-Campeggi

La Vierge à l'Enfant

plume et encre brune, lavis brun
H 0,138 ; L 0,133
Musée du Louvre, Cabinet des dessins
Inventaire 6867

historique
Collection Crozat ;
collection Destouches ;
collection Saint-Morys ;
saisi à la Révolution dans cette collection.

bibliographie
Rouchès   s d, pl 13 ;
Mahon   1967, p 24 ;
Mahon   1969, pp 49-50 ;
Arquié-Bruley, Labbé et Bicart-Sée   1987, II, p 155 ;
Salerno   1988, p 96.

exposition
Bologne   1968, n° 17.

Étude préparatoire pour un tableau peint sur ardoise, jamais photographié, et aujourd'hui conservé à Rome, au palais Malvezzi Campeggi. La poire que la Vierge présente à l'Enfant a été remplacée dans le tableau par une fleur. Au cours des années 1615-1616, le Guerchin peignit à plusieurs reprises des tableaux représentant la Vierge à l'Enfant, parfois accompagnée de saint Joseph ou du petit saint Jean, et qui se caractérisent à la fois par l'ampleur des volumes et la robustesse des types des personnages, mais surtout par le traitement intime, étroitement lié à la réalité la plus quotidienne, de ces sujets sacrés. Autrefois en possession de Crozat, le dessin du Louvre, où les contours sont sommairement définis par le trait de plume tandis que les rehauts de lavis servent à créer le sens des volumes, pourrait être l'un de ceux que Mariette avait à l'esprit lorsque rédigeant le catalogue de la vente des dessins de Crozat, il caractérisait les dessins du Guerchin en écrivant : *"Ce peintre a outre cela une plume tout à fait séduisante et lorsqu'il y joint quelques coups de lavis, il met dans ses Desseins une Vaghesse qu'on ne trouve dans les Desseins d'aucun autre Maître."* Ce dessin fut gravé par Lelu alors qu'il se trouvait dans la collection Saint-Morys.

** cat 24

** cat 25

Loth et ses filles 1617
El Escorial, Monasterio de San Lorenzo
fig 45

Loth et ses filles

plume et encre brune, lavis brun
H 0,187/190 ; L 0,249
Musée du Louvre, Cabinet des dessins
Inventaire 6864

historique
Collection Crozat ;
collection Mariette ;
vente Mariette, 1775, n° 143
(adjugé 96 livres) ;
acquis pour le Cabinet du Roi.

bibliographie
Mahon 1969, pp 31, 53-54 ;
Bacou 1981, n° 58, p 253 ;
Salerno 1988, p 114.

expositions
Paris an X et an XII, n° 123 ;
1815, n° 118 ; 1817/1818, n° 145 ; 1820, n° 174 ;
1838, 1841 et 1845, n° 290 ;
Bologne 1968, n° 22.

Il existe une gravure anonyme du XVIIIᵉ siècle
d'après ce dessin (Bibliothèque nationale, Estampes, Bd 33, n° 6) accompagnée d'une note
manuscrite de Mariette indiquant sa provenance
de la collection Crozat. Avec six autres dessins
illustrant le même sujet (Budapest, Szépmüvészeti Múzeum ; Écosse, collection du comte de
Crawford ; Italie, collection Martello ; Leningrad, Ermitage ; Madrid, Academia de San Fernando et Milan, Brera), celui-ci est en rapport
avec le *Loth et ses filles* peint en 1617 pour le
cardinal-archevêque de Bologne, Alessandro
Ludovisi et qui, parvenu en Espagne vers 1664,
fut envoyé à l'Escorial en 1681. Alors que certains de ces dessins montrent une idée de composition identique à celle du tableau, avec les deux
filles de Loth placées à sa gauche, le dessin du
Louvre, correspondant sans doute à l'un des
premiers stades de sa conception, montre les
deux filles de Loth entourant leur père.

Saint Roch jeté en prison 1618
Bologne, Oratoire de San Rocco
fig 52

Saint Roch jeté en prison

plume et encre brune, lavis brun
H 0,358 ; L 0,275
Musée du Louvre, Cabinet des dessins
Inventaire 6880

historique
Collection Malvasia ;
acquis par Crozat à Bologne ; acquis par
Mariette à la vente Crozat, 1741, n° 543 ;
vente Mariette, 1775, n° 141 (adjugé
75 livres) ; collection Saint-Morys ;
saisi à la Révolution dans cette collection.

bibliographie
Klingsor 1931, p 355 fig 16 ;
Bottari 1966, pl XII ;
Viatte dans catalogue d'exposition
Paris 1967, p 69 ;
Mahon 1969, pp 10, 18, 31, 58 ;
Roli 1972, p 19, pl 10 ;
Turner 1980, p 104 ;
Bacou 1981, p 253 ;
Arquié-Bruley, Labbé et Bicart-Sée
1987, II, p 156 ;
Salerno 1988, p 121.

Selon Malvasia, le Guerchin aurait peint *"en une demi journée"* en 1618 l'un des compartiments latéraux de la salle de l'oratoire de San Rocco à Bologne. Décorée de *quadrature* de Dentone, cette salle devait être ornée de onze scènes peintes à fresque par quelques-uns des artistes bolonais de l'entourage des Carrache actifs au début du XVII^c siècle dont Francesco Camullo, Alessandro Provagli, Giacomo Cavedone, Francesco Carracci ou Francesco Gessi. Alors qu'un autre décor à fresque représentant *Hercule tuant l'hydre de Lerne*, peint par le Guerchin la même année, est aujourd'hui disparu, celui de l'oratoire de San Rocco nous est parvenu : il montre comment le peintre y a traduit l'effet mouvementé et l'exubérance qu'un large emploi de lavis donnait déjà au dessin du Louvre, aujourd'hui dans un état de conservation décevant. Deux autres dessins pour la même fresque nous sont parvenus, l'un dans la collection Mortimer Brandt de New York, montrant plusieurs esquisses pour l'ensemble de la composition entière, et l'autre, une étude pour la tête du soldat de gauche, au British Museum. Le dessin du Louvre a été gravé en contre-partie par Vincenzo Vangelisti (1767) alors qu'il se trouvait dans la collection Mariette.

Apollon écorchant Marsyas   1618
Florence, Palais Pitti
fig **53**

Étude d'homme couché

fusain huilé
H 0,267 ; L 0,387
Paris, École Nationale Supérieure des Beaux-Arts
Inventaire 156

historique
Legs Sébastien Cornu, 1871.

bibliographie
Mahon   1968, p 69 ;
Mahon   1969, p 62 ;
Roli   1972, p 20 ;
Mahon - Turner   1989, p 3.

expositions
Paris   1937, n° 74 ;
Bologne   1968, n° 35.

Certainement une étude d'après nature, ce très beau dessin est sans doute une étude pour la figure de Marsyas dans l'*Apollon écorchant Marsyas* peint en 1618 pour le grand duc de Toscane. Avec le **cat 28**, c'est le seul exemple, parmi les dessins présentés à l'exposition, de ces "académies" que le Guerchin semble avoir dessinées avant tout dans sa jeunesse mais qu'il est souvent difficile de dater, à moins qu'elles ne préparent directement, comme celle-ci, des compositions peintes. Une autre étude d'après le modèle pour la figure de Marsyas, mais inversée et à la plume, est conservée au Courtauld Institute de Londres ; trois autres études d'ensemble pour cette composition sont connues à Milan, Biblioteca Ambrosiana, Vienne, Albertina et Windsor Castle, Royal Library, celle-ci l'inversant.

* cat 27

* cat 28

cat 27

54
Le Guerchin
David tenant la tête de Goliath
vers 1618
Kansas City Nelson-Atkins Museum of Art

David tenant la tête de Goliath
vers 1618 Kansas City, Nelson-Atkins
Museum of Art *fig* 54

David tranchant la tête de Goliath

plume et encre brune, lavis brun
H 0,209 ; L 0,140
Musée du Louvre, Cabinet des dessins
Inventaire 6862

historique
Collection Huquier ;
collection Saint-Morys ;
saisi à la Révolution dans cette collection.

bibliographie
Bottari 1966, pl XI ;
Mahon 1969, p 57 ;
Roli 1972, p 20, pl 13 ;
Johnston 1973, p 76 ;
Arquié-Bruley, Labbé et Bicart-Sée 1987, I, p 87,
n° 108, II, p 155 ;
Salerno 1988, p 121 ;
Mahon - Turner 1989, p 3.

L'œuvre que prépare ce dessin a été peinte à fresque : plutôt que du fragment d'un décor, il pourrait s'agir d'un essai de peinture à fresque peint au moment où le Guerchin devait exécuter deux commandes bolonaises dans cette technique, au palais Tanari et à l'oratoire de San Rocco. D'autres études pour la même peinture sont à Windsor Castle et à Florence, musée des Offices (recto-verso) ; la feuille du Louvre, la plus spontanée et la plus éloignée de la composition finale, pourrait avoir été exécutée la première ; celle de Windsor Castle, à la plume et au lavis, montre le héros agenouillé, motif revenant en verso de celle de Florence, mais soigneusement exécuté à la pierre noire : le recto de la même feuille montre la composition définitive reprise dans la peinture. Le dessin du Louvre a été gravé en 1785 par Saint-Morys, alors qu'il se trouvait dans sa collection.

Paysage avec des femmes se baignant
Rotterdam, Musée Boymans-van Beuningen
fig 55

Étude de femme se séchant les cheveux

fusain, pierre noire et traces de sanguine
H 0,258 ; L 0,154
Musée du Louvre, Cabinet des dessins
Inventaire 12452

historique
Collection Baudoin ;
vente Baudoin, 1786, n° 260-2 ("Schedone") ;
collection Saint-Morys ;
saisi à la Révolution dans cette collection.

bibliographie
Arquié-Bruley, Labbé et Bicart-Sée
1987, II, p 270 ;
Turner 1988, p 534, fig 58 ;
Salerno 1988, p 128 ;
Mijnlieff dans catalogue d'exposition
Rotterdam 1989-1990, p 109, fig 49a.

Saint Guillaume d'Aquitaine

plume et encre brune, lavis brun
H 0,373 ; L 0,240
Musée du Louvre, Cabinet des dessins
Inventaire 6886

cat 28

Anciennement attribué à Bartolemeo Schedone, peintre originaire de Parme dont les dessins, comme ceux de Pietro Faccini, ont souvent été confondus avec ceux du jeune Guerchin, ce dessin lui a été rendu par Nicholas Turner. Celui-ci propose d'un voir une étude sur l'une des femmes figurant dans un petit paysage peint sur cuivre vers 1618 qui, autrefois dans la collection de Louis XIV (*cf* p 16), est aujourd'hui conservé à Rotterdam. Alors que sur ce tableau, la baigneuse apparaissant de profil paraît ôter sa chemise, elle semble ici plutôt se sécher les cheveux mais le dessin du Louvre pourrait correspondre à une première pensée pour cette figure. De même, l'échelle de la figure est plus petite sur le tableau mais une telle réduction à partir du dessin apparaît également entre la figure vue de dos du tableau et un dessin préparatoire conservé à Windsor Castle dont, par ailleurs, l'analogie de technique et de facture conforte l'attribution du dessin du Louvre. Comme le tableau, il a vraisemblablement été exécuté peu après 1618 lorsque de retour de Venise, le Guerchin montre, dans la facture vibrante et la palette lumineuse de ses tableaux, l'influence de Domenico Fetti.

historique
Collection Somers ;
collection Mariette ;
collection Saint-Morys ; saisi à la Révolution dans cette collection.

bibliographie
Bean - Stampfle 1967, p 36 ;
Viatte   dans catalogue d'exposition
Paris 1967, p 69 ;
Mahon 1969, pp 31, 75, 82-83 ;
Bean 1979, p 181 ;
Bacou 1981, n° 59, p 253 ;
Arquié-Bruley, Labbé et Bicart-Sée
1987, I, p 150, pl 94, II, p 156.

exposition
Bologne 1968, n° 57.

95

cat 29

Saint Guillaume d'Aquitaine

plume et encre brune, lavis brun
H 0,242 ; L 0,149
Musée du Louvre, Cabinet des dessins
Inventaire 6885

historique
Collection Crozat ;
acquis par Mariette à la vente Crozat, 1741 ;
collection Saint-Morys ;
saisi à la Révolution dans cette collection.

bibliographie
Bean - Stampfle 1967, p 36 ;
Viatte dans catalogue d'exposition
Paris 1967, p 69 ;
Mahon 1969, pp 82, 83 ;
Bean 1979, p 181 ;
Bacou 1981, sous le n° 59, p 253 ;
Arquié-Bruley, Labbé et Bicart-Sée
1987, II, p 156 ;
Salerno 1988, p 148.

Saint Guillaume d'Aquitaine

plume et encre brune, lavis brun
H 0,274 ; L 0,196
Musée du Louvre, Cabinet des dessins
Inventaire 6884

historique
Collection Malvasia ;
acquis par Crozat à Bologne ;
acquis par Mariette à la vente Crozat, 1741 ;
collection Saint-Morys ;
saisi à la Révolution dans cette collection.

bibliographie
Bottari 1966, pl XXIV ;
Bean - Stampfle 1967, p 36 ;
Viatte dans catalogue d'exposition
Paris 1967, p 69 ;
Mahon 1969, pp 10, 18, 75-76 ;
Bean 1979, p 181 ;
Bacou 1981, p 253 ;
Arquié-Bruley, Labbé et Bicart-Sée
1987, II, p 156 ;
Mahon - Turner 1989, p 8.

exposition
Bologne 1968, n° 58.

Saint Guillaume d'Aquitaine

plume et encre brune, lavis brun
H 0,342/344 ; L 0,270/272
Musée du Louvre, Cabinet des dessins
Inventaire 6883

historique
Collection Roger de Piles ;
collection Crozat ;
acquis par Mariette à la vente Crozat,
1741, n° 544 ;
vente Mariette, 1775, n° 142 ;
probablement entré au Louvre à la
Révolution à la suite d'une saisie d'émigré.

bibliographie
Mariette 1851, I, p 65 ;
Rouchès s d, n° 14 ;
Bean - Stampfle 1967, p 36 ;
Viatte dans catalogue d'exposition
Paris 1967, p 69 ;
Bacou - Viatte 1968, n° 86 ;
Mahon 1969, pp 10, 79, 83, 84, 85 ;
Bean 1979, p 181 ;
Bacou 1981, sous le n° 59, p 253.

expositions
Paris an V et an VII, n° 69 ;
an X et an XII, n° 130 ;
1838, 1841 et 1845, n° 295 ;
Maisons-Laffitte 1927, n° 23 ;
Paris 1967, n° 69 ;
Bologne 1968, n° 68 ;
Paris 1988, n° 16.

Ces quatre dessins sont en rapport avec le fameux tableau peint en 1620 pour l'église San Gregorio de Bologne, *Saint Guillaume d'Aquitaine recevant l'habit monastique*. Grâce à une série d'une vingtaine de dessins préparatoires pour cette toile dont Denis Mahon a rétabli la succession, études d'ensemble à la plume et au lavis, ou de détail à la plume ou à la pierre noire, nous pouvons suivre, mieux que pour aucun autre tableau d'autel comparable du Guerchin, la genèse complexe de sa création. Montrant la composition dans son ensemble, les quatre études du Louvre permettent de mettre en évidence le déplacement, de la droite vers la gauche de la composition, de l'évêque accueillant saint Guillaume d'Aquitaine, un soldat se retirant de la vie militaire pour endosser l'habit monastique. Le premier d'entre eux (**cat 29**) le montre déjà vêtu en moine, debout, et engagé dans un dialogue avec l'évêque assisté d'un acolyte, tandis que deux soldats, à gauche, évoquent sa carrière précédente. Le second dessin (**cat 30**) montre le saint agenouillé devant l'évêque, attitude qui sera reprise dans le suivant (**cat 31**), plus élaboré puisqu'il montre la Vierge et l'Enfant entourés de saint Joseph et d'un saint pèlerin dans la partie supérieure de la composition. L'évêque est, cette fois, légèrement tourné vers l'intérieur, comme dans le tableau final, mais du côté opposé à celui-ci. Enfin, le dernier des quatre dessins du Louvre, le plus élaboré (**cat 32**), montre la composition dans le même sens que le tableau qui reprendra les deux figures de droite mais l'évêque est cette fois tourné vers le spectateur. A la différence du précédent, ce dessin montre le saint revêtu d'une armure mais tenant une croix cérémonielle qui, symbolisant son entrée dans la vie religieuse, fut supprimée dans le tableau final, peut-être parce qu'elle aurait pu évoquer un guerrier partant en croisade ou confiant un objet religieux à un évêque. Le tableau a en effet clarifié le sens de la scène en montrant le saint se couvrant la tête de l'habit monastique, tout en abandonnant son épée à l'évêque qui en tient la garde dans sa main droite. Comme une autre étude d'ensemble pour la composition conservée à Francfort, Städelsches Kunstinstitut, les quatre dessins du Louvre proviennent de la collection Mariette. Un seul, cependant, est mentionné dans le catalogue de sa vente en 1775, sans doute la feuille la plus importante du groupe, que Mariette disait avoir fait graver en contre-partie par Vincenzo Vangelisti en 1767, alors qu'elle se trouvait dans sa collection.

** cat 33

* cat 34

cat 33

L'Aurore 1621
Rome, Casino Ludovisi
fig **9**

Vieillard et enfant

plume et encre brune
H 0,156 ; L 0,186/187
Musée du Louvre, Cabinet des dessins
Inventaire 6920 bis

historique
Collection Mariette ;
vente Mariette, 1775, sous le n° 151 ;
collection Saint-Morys ;
saisi à la Révolution dans cette collection.

bibliographie
Mahon 1969, p 91 ;
Bacou 1981, p 253 ;
Arquié-Bruley, Labbé et Bicart-Sée
1987, I, p 85 n° 71, II, p 157.

exposition
Paris 1988, n° 81.

Étude pour la figure de Tithonos dans la fresque
de l'*Aurore* peinte en 1621 pour le pape Grégoire XV et son neveu, le cardinal Ludovico
Ludovisi, à la voûte du salon du rez-de-chaussée
du Casino Ludovisi. Dans la fresque, assise dans
un char traversant les cieux, l'Aurore délaisse
Tithonos, son amant âgé dont l'abandon fait
peut-être allusion à son passage de la nuit vers le
jour. L'œuvre peinte montre un putto tenant une
draperie au-dessus du vieillard, mais en retrait
par rapport à lui, et non à son côté comme dans
cette esquisse. Il existe une étude plus détaillée à
la sanguine pour la figure de Tithonos conservée
à New York, Metropolitan Museum, ainsi que
plusieurs esquisses pour la figure de l'Aurore.

Sémiramis 1624
Boston, Museum of Fine Arts
fig **56**

Tête de femme couronnée

plume et encre brune
H 0,227 ; L 0,173
Paris, École Nationale Supérieure
des Beaux-Arts
Inventaire 151

historique
Donation Charles Drouet, 1909.

exposition
Paris 1937, n° 85.

Étude préparatoire pour la figure de Sémiramis
dans le tableau peint en 1624 pour Daniel Ricci
et qui, ayant appartenu au roi d'Angleterre
Charles II au XVIIᵉ siècle, est aujourd'hui conservé au musée de Boston. Le tableau représente la
reine Sémiramis apprenant la révolte de Baby-
lone alors qu'elle était à sa toilette et agissant
aussitôt pour la réprimer, avant même d'avoir
terminé sa coiffure. Le Guerchin devait traiter le
même sujet dans deux autres tableaux, en 1621
(autrefois à Dresde, Staatliche Gemäldegalerie)
et en 1645 (autrefois Grande-Bretagne, North-
brook collection). Alors que le dessin de l'École
des Beaux-Arts est une étude de détail pour la
figure de la reine où des hachures suggèrent
précisément les parties d'ombre sur son visage,
un autre dessin préparatoire pour ce tableau
conservé à Princeton, Art Museum, est une
esquisse pour l'ensemble de la composition, dans
laquelle les deux figures n'ont pas encore trouvé
leur position finale.

cat 34

L'adoration des bergers   vers 1626-1627
Plaisance, Cathédrale, fresque de la coupole
fig 57

L'adoration des bergers

plume et encre brune, lavis brun
H 0,231 ; L 0,308
Paris, École Nationale Supérieure
des Beaux-Arts
Inventaire 153

cat 35

historique
Donation His de la Salle, 1869.

bibliographie
Mahon   1968, p 111 ;
Bagni   1983, n° 38 pp 104-105.

exposition
Paris   1937, n° 86.

Étude pour l'une de quatre scènes de la Nativité ornant les lunettes de la coupole de la cathédrale de Plaisance. Le Guerchin reçu en 1626 la commande de l'achèvement du décor de cette coupole commencé par le peintre Lombard Pier Francesco Mazzucchelli dit Morazzone (1573-1626) et laissé inachevé à sa mort. Il peignit, avant la fin de l'année 1626, six figures de prophètes accompagnés de figures secondaires dans les triangles de la coupole en complément des deux déjà peintes par Morazzone puis, en 1627, quatre scène sur les parois verticales du tambour de cette coupole ainsi que huit figures de sibylles et une frise de putti. L'exécution de ce décor a été précédé d'un nombre important d'études préparatoires, des esquisses sommaires pour chacune des figures des prophètes ou pour les scènes de la Nativité, ou des études de détail poussées à la sanguine pour les drapés de certaines de ces figures. Le dessin de l'École des Beaux-Arts est l'une des premières études pour l'*Adoration des bergers* qui, dans la fresque, montrera une composition inversée : la figure de la Vierge, comme celles des bergers, sera déplacée à gauche, les deux anges apparaissent à droite du dessin venant au centre de la composition peinte, près du berceau de l'Enfant Jésus. Six autres dessins préparatoires pour cette scène sont aujourd'hui connus [119].

56
Le Guerchin
Sémiramis
1624
Boston   Museum of Fine Arts

57
Le Guerchin
L'adoration des bergers
1626 — 1627
Plaisance   Cathédrale

119 Malvasia   1841, II, pp 266 ;
Calvi   1841, p 324

Le martyre de saint Laurent 1628
Ferrare, Cathédrale
fig 58

Le martyre de saint Laurent

sanguine
H 0,256 ; L 0,199
Musée du Louvre, Cabinet des dessins
Inventaire 6875

historique

Collections ducales de Modène ;
prélevé par les commissaires de la République
française et emporté en France, 1796 ;
collection du musée du Louvre, 1797.

bibliographie

Pagani 1770, p 140 ;
Mahon 1969, p 119 ;
Roli 1972, p 27 ;
Degli Esposti dans catalogue d'exposition
Ferrare 1983, p 144 ;
Salerno 1988, p 215 ;
Mahon - Turner 1989, p 28.

Étude préparatoire d'ensemble pour le tableau
commandé par le cardinal Lorenzo Magalotti,
probablement au cours de l'hiver 1627-1628.
Magalotti fut nommé archevêque de Ferrare en
mars 1628 et le tableau, qui dut être payé avant
la fin de cette année, resta dans son palais
jusqu'à sa mort en 1637, avant d'être mis en
place dans la cathédrale de Ferrare. On connaît
six autres dessins préparatoires pour ce tableau
mais celui du Louvre, qui présente la tête du
saint à droite de la composition, est la seule étude
d'ensemble. Le Guerchin était fréquemment
amené à inverser le sens de ses compositions au
cours de leur élaboration et la technique de
reproduction de ses dessins à la sanguine à l'aide
de contre-épreuves lui permettait de le faire très
rapidement. Il pouvait aussi fournir des contre-
épreuves d'après ses dessins à des artistes de son
entourage : c'est ce qu'il fit certainement avec le
dessin du Louvre puisqu'un tableau de Pietro
Desani (1595-1657) conservé dans l'église San
Agostino de Reggio Emilia répète sa composition, en l'inversant et avec quelques variantes.
Provenant des collections de Modène, ce dessin
était cité en 1770 dans la « troisième chambre »
du palais ducal de cette ville ; il pourrait avoir
été donné au duc Francesco I d'Este par le
peintre·lui-même.

58
Le Guerchin
Le martyre de saint Laurent
1628
Ferrare Cathédrale

Le Christ et la Samaritaine 1648
Modène, Banco di San Geminiano e San Prospero
fig 59

Le Christ et la Samaritaine

plume et encre brune
H 0,174 ; L 0,222
inscription manuscrite
en bas à droite du dessin :
"Presso del S.r Card. Corsini"
Musée du Louvre, Cabinet des dessins
Inventaire 6874

historique

Collection Richardson ; collection Barnard ;
collection Bertheels ; vente Bertheels, 1789,
n° 130 ; collection Saint-Morys ;
saisi à la Révolution dans cette collection.

bibliographie

Arquié-Bruley, Labbé et Bicart-Sée
1987, II, p 155 ;
Salerno 1988, p 322 ;
Mahon - Turner 1989, p 71.

Le livre de comptes du Guerchin montre que celui-ci peignit trois compositions sur le thème du Christ et la Samaritaine après 1629 : en 1640, pour Giuseppe Baroni de Lucques — sans doute le tableau sur ce sujet aujourd'hui à Lugano, collection Thyssen Bornemisza (*fig* 50) —, en 1641, pour l'abbé Bentivoglio — sans doute la réplique exacte de la précédente composition aujourd'hui conservée à Ottawa, Galerie Nationale du Canada — et enfin, en 1648, pour Girolamo Panessi de Gênes. Ce troisième tableau, celui dont le dessin du Louvre paraît le plus proche, est aujourd'hui conservé au Banco San Geminiano e San Prospero de Modène après avoir figuré dans la collection Chigi jusqu'au début de ce siècle. L'annotation du dessin du Louvre fait probablement référence à une autre toile sur ce sujet attribuée au Guerchin qui se trouvait dans la collection Corsini de Rome avant la Seconde Guerre mondiale, lorsqu'elle fut détruite, et qui pourrait avoir été une copie de la version Chigi aujourd'hui à Modène. Il existe une autre étude pour la figure du Christ du même tableau, à la plume et au lavis, aujourd'hui conservée à Windsor Castle.

59
Le Guerchin
Le Christ et la Samaritaine
1648
Modène Banco di San Geminiano e San Prospero

Étude pour un putto

plume et encre brune, lavis brun
H 0,192 ; L 0,151/0,153
Musée du Louvre, Cabinet des dessins
Inventaire 6906

Portrait du cardinal Spada

plume et encre brune, lavis brun
H 0,236/295 ; L 0,178/193
Musée du Louvre, Cabinet des dessins
R F 34056

historique
Collection Crozat ;
acquis par Mariette à la vente Crozat, 1741 ;
probablement acquis pour le Cabinet du Roi
à la vente Mariette, 1775, sous le n° 150.

bibliographie
Viatte dans catalogue d'exposition ;
Paris 1967, p 67 ;
Bacou 1981, p 253.

Provenant de la collection Mariette, ce dessin est
probablement celui qui était désigné dans le
catalogue de la vente de 1775 sous le numéro 150
comme : *"Un Enfant demi-corps, les bras élevés, à
la plume & au bistre"*. Il est toujours difficile de
dater de telles études de détail du Guerchin et
surtout, de les mettre en rapport avec des
compositions peintes connues. Par analogie de
style avec d'autres dessins comparables qui
montrent des *putti* et préparent un tableau représentant la *Toilette de Vénus* (1623 ; Renaissance (Californie), Goethe Academy), celui-ci
peut cependant être daté peu après le séjour
romain du peintre, vers 1623-1627. A titre d'hypothèse, on peut proposer d'y voir une étude
pour un *putto* tenant un bras levé figurant dans
une *Assomption* (Léningrad, Musée de l'Ermitage) peinte en 1623.

historique
Acquis en 1970.

bibliographie
Regteren Altena dans catalogue d'exposition
Paris 1972, sous le n° 27.

Le Guerchin peignit en 1631 un portrait à mi-
corps du cardinal Bernardino Spada (Rome,
Galleria Spada), alors que celui-ci terminait sa
mission de légat à Bologne. Il est vraisemblable
que le Guerchin avait préparé ce portrait en
observant son modèle pendant que celui-ci s'occupait à ses fonctions et en dessinant, d'après
nature, de rapides esquisses. Le musée Teylers
de Haarlem conserve une telle étude montrant le
prélat de profil, debout, et semblant accompagner un discours d'un geste de la main droite ; le
dessin du Louvre n'en diffère que par la position
de cette main, tendue comme pour accueillir, et
surtout par la tête qui, dessinée sur une autre
feuille que le reste du dessin, est probablement
d'une autre main. Le Guerchin aurait pu dessi-
ner ces deux études à quelques moments d'intervalle, alors que le cardinal Spada recevait des
visiteurs, et la partie supérieure, manquante, du
dessin du Louvre, pourrait avoir été copiée sur
celle du dessin de Haarlem ou sur une étude
similaire.

La Vierge à l'Enfant avec saint Dominique

plume et encre brune, lavis brun
H 0,108 ; L 0,260
Musée du Louvre, Cabinet des dessins
Inventaire 6876

Saint François recevant les stigmates

plume et encre brune, lavis brun
H 0,190 ; L 0,133
Musée du Louvre, Cabinet des dessins
Inventaire 6881

historique
Collection Mariette ;
vente Mariette, 1775, n° 137 ;
adjugé 345 livres à Lempereur pour
le Cabinet du Roi.

bibliographie
Lugt 1921, p 336 ;
Bacou 1981, p 253.

exposition
Paris an V, n° 69.

Peu connu, ce superbe dessin a pourtant une
excellente provenance puisqu'il apparaît dans le
catalogue de la vente Mariette de 1775 comme
un *"Saint Dominique aux pieds de la Vierge,
recevant un lis des mains de l'Enfant-Jésus, fait
avec art, aussi à la plume & au bistre"*. Le moine
agenouillé aux pieds de la Vierge est en effet
saint Dominique, ici désigné par le chien parce
qu'avant sa naissance, sa mère avait rêvé qu'elle
donnerait naissance à un chien portant une
torche enflammée, symbole du rôle de l'ordre
des Dominicains pour la diffusion de l'Évangile.
Ce dessin achevé est sans doute en rapport avec
un tableau de même sujet qui ne nous est pas
parvenu ; par analogie avec certains dessins précisément datés en 1618-1620, on peut proposer
de le situer vers la même époque.

historique
Collection ducale de Modène ;
prélevé par les commissaires de la République
française et emporté en France, 1797.

bibliographie
Pagani 1770, p 108.

Provenant des collections de Modène où il était
décrit en 1770 dans la "Première chambre" du
palais ducal, ce dessin est probablement une
étude préparatoire pour l'un des trois tableaux
représentant la stigmatisation de saint François
que le Guerchin a peint en 1632 et 1633. Deux
d'entre eux sont encore conservés à Ferrare,
Chiesa delle Sacre Stimmate (1632), et à Plaisance, église des Capucins (1633), tandis que le
troisième peint pour l'église San Francesco de
San Giovanni in Persiceto est aujourd'hui perdu.
Les deux toiles conservées montrent le saint dans
une attitude voisine de celle du dessin du Louvre
mais tourné vers la droite, tandis que nous
ignorons tout de la composition du tableau perdu. Il pourrait donc s'agir ici d'une étude préparatoire pour cette œuvre perdue, à moins qu'il ne
s'agisse d'une première idée, inversée par la
suite, pour l'un des deux tableaux conservés.

Étude pour un Christ mort

fusain sur papier huilé
H 0,240 ; L 0,294/297
Musée du Louvre, Cabinet des dessins
Inventaire R F 88

historique

Donation Jacques-Édouard Gatteaux, 1883.

Probablement une étude pour la figure d'un Christ mort, ce dessin pourrait être en rapport avec deux tableaux du Guerchin conservés en France et montrant le *Christ mort pleuré par la Vierge*, l'un peint en *1638* (Rennes, musée des Beaux-Arts ; *fig* **60**), l'autre en 1643 (Autun, cathédrale Saint-Lazare ; *fig* **61**). Tandis que le dessin montre, comme le tableau de Rennes, le Christ tourné vers la gauche, les détails de son attitude — le pivotement de la figure vers l'extérieur, la position de sa main droite retournée sur le rocher, l'inclinaison de la tête ou la position des jambes — y paraissent plus proches de ceux du tableau d'Autun qui pourrait dériver de ce dessin en l'inversant, peut-être par l'intermédiaire d'une contre-épreuve que le Guerchin aurait lui-même exécutée.

60
Le Guerchin
Le Christ mort pleuré par la Vierge
1638
Rennes   Musée des Beaux-Arts

61
Le Guerchin
Le Christ mort pleuré par la Vierge
1641
Autun   Cathédrale Saint-Lazare

Sénèque au bain

plume et encre brune
H 0,189 ; L 0,176
inscription au bas du dessin :
"Seneca nel Bagno"
Musée du Louvre, Cabinet des dessins
Inventaire 6891

Femme vue à mi-corps

sanguine
H 0,163 ; L 0,196
inscription en bas à droite : "Guarchin"
Musée du Louvre, Cabinet des dessins
Inventaire 6908

historique
Collection Dezallier d'Argenville ;
vente Dezallier d'Argenville, 1779 n° 136 ? ;
collection Saint-Morys ;
saisi à la Révolution dans cette collection.

historique
Collection Saint-Morys ;
saisi à la Révolution dans cette collection.

bibliographie
Arquié-Bruley, Labbé et Bicart-Sée
1987, I, p 87 n° 107, II, p 156.

bibliographie
Arquié-Bruley, Labbé et Bicart-Sée
1987, I, p 81, n° 1, II, p 156.

Proche par le style d'un dessin conservé à Windsor Castle préparant un *Suicide de Caton* peint en 1641 [118], ce dessin pourrait être en rapport avec une composition peinte à la même époque et représentant une *Mort de Sénèque*. De fait, le Guerchin peignit en 1643 deux tableaux montrant un *Sénèque à mi-corps s'ouvrant les veines*, l'un pour le cardinal Antonio Barberini qui lui fut payé le 26 août 1643, l'autre pour Marco Antonio Eugenii qui paya le peintre le 25 novembre 1643 [119] ; aucun de ces tableaux n'est parvenu jusqu'à nous. Ce dessin a été gravé en 1786 par Saint-Morys alors qu'il se trouvait dans sa collection.

Certainement autographe, ce dessin au trait peu appuyé et à la touche tremblée pourrait dater de la fin de la carrière du Guerchin et avoir été exécuté au cours des années 1650, voire 1660. Peut-être en rapport avec une composition peinte montrant une héroïne féminine à mi-corps, il pourrait représenter une Cléopâtre, une Lucrèce ou une Madeleine, bien qu'aucun accessoire ne permette ici d'en dire plus. Ce dessin a été gravé à l'eau-forte et au lavis par Saint-Morys alors qu'il se trouvait dans sa collection.

[118] **Mahon - Turner** 1989, n° 104

[119] **Malvasia** 1841, II, pp 266 ;
Calvi 1841, p 324

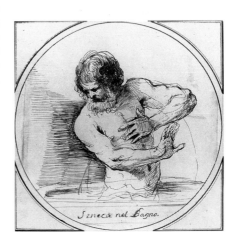

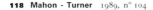

Deux personnages

plume et encre brune, lavis brun
H 0,165 ; L 0,158
Musée du Louvre, Cabinet des dessins
Collection Edmond de Rothschild
dR 3284

historique
Legs Edmond de Rothschild, 1936.

Il n'est pas certain que ce dessin soit en rapport avec une composition peinte : pourrait-il s'agir d'un reniement de saint Pierre ? Il séduit cependant par l'approche directe des personnages, la légèreté du lavis, et la spontanéité du trait qui invitent à le dater assez tôt, sans doute avant 1630.

Cavalier sonnant de la trompette

plume et encre brune
H 0,166 ; L 0,142
Musée du Louvre, Cabinet des dessins
Inventaire 6894

historique
Collection Saint-Morys ;
saisi à la Révolution dans cette collection.

bibliographie
Arquié-Bruley, Labbé et Bicart-Sée
1987, II, p 156 ;
Mahon - Turner 1989, pp 88-89.

Peu connu, ce *Cavalier* a été mis en rapport par Denis Mahon et Nicholas Turner avec un dessin conservé à Windsor Castle et montrant deux cavaliers coiffés de casques. Il s'agit probablement d'une étude pour une composition peinte et pour laquelle ces deux auteurs proposent des dates différentes : D. Mahon place les deux dessins entre la seconde moitié des années 1620 et le début des années 1630, tandis que N. Turner le situe beaucoup plus tôt, à l'époque du décor des frises de la Casa Provenzale de Cento (1614). En fait, outre l'absence de références nombreuses sur le style graphique du Guerchin à une date aussi reculée, le rapprochement avec des figures de cavaliers d'une technique similaire apparaissant dans deux études pour un *Martyre de saint Jacques le Majeur* peint en 1627 et aujourd'hui disparu **120**, permet, semble-t-il de préférer une datation vers 1625-1635 pour le dessin du Louvre. On y retrouve un usage du lavis posé en plusieurs nuances et débordant les formes, ainsi qu'une technique similaire de suggestion des volumes sur les visages à l'aide de hachures à la plume. Notons toutefois que le lien entre ce dessin et celui de Windsor, d'une technique et de proportions différentes, ne paraît pas certain.

120 Mahon 1969, n°s 112-114

Caricature

plume et encre brune, lavis brun
H 0,210 ; L 0,212
Musée du Louvre, Cabinet des dessins
Inventaire 6924

historique
Collection Saint-Morys ;
saisi à la Révolution dans cette collection.

bibliographie
Rouchés s d, pl 8 ;
Arquié-Bruley, Labbé et Bicart-Sée
1987, II, p 157.

Caricature

plume et encre brune, lavis brun
H 0,206 ; L 0,209
Musée du Louvre, Cabinet des dessins
Inventaire 6925

historique
Collection Saint-Morys ;
saisi à la Révolution dans cette collection.

bibliographie
Arquié-Bruley, Labbé et Bicart-Sée
1987, II, p 157.

Avec Annibal Carrache, le Bernin ou Pier Francesco Mola, le Guerchin compte au nombre des caricaturistes les plus originaux et les plus féconds qu'ait connu l'Italie au XVIIᵉ siècle. Ce type de dessins, exagérant les défauts et les difformités de personnages réels ou imaginaires en les ridiculisant à des fins satiriques, avait déjà été pratiqué par Léonard de Vinci dans ses têtes grotesques mais Annibal Carrache, qui semble être à l'origine du terme au XVIIᵉ siècle (de *caricare* : charger), est le véritable inventeur de la caricature moderne. Comme Annibal Carrache, le Guerchin, tout au long de sa carrière, exécuta, pour se détendre, des dessins s'inspirant de la vie de ses contemporains dans lesquels il fit preuve d'un sens aigu de l'observation non démunie de sympathie et d'un détachement amusé déviant aisément vers la caricature. Ces dessins montrent des scènes de la vie quotidienne, des scènes de sorcellerie ou de la vie des acteurs de théâtre, mais aussi des portraits où le Guerchin s'intéresse autant à l'état mental de ses sujets, réels ou non, qu'aux déformations physiques que ces humeurs provoquent chez eux. Ainsi, les deux caricatures semble traduire l'attente confiante chez l'un (**cat 47**), celle de celui qui ferme les yeux en attendant la révélation soudaine d'une surprise heureuse, tandis que l'autre (**cat 48**) semble plutôt en proie à un étonnement stupéfait qui fait apparaître sur son visage le groin d'un porc à la place du nez ; mais peut-être autant que par le recours à l'analyse physiognomique qu'un Charles Le Brun pratiquait au même moment pour révéler les "passions de l'âme", les difformités faciales peuvent ici résulter d'un véritable trouble physique ressenti par le modèle, à une époque où la médecine était incapable d'apporter un traitement adéquat aux maladies qui les provoquaient.

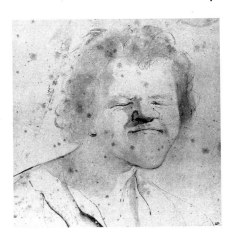

* cat 49

** cat 50

Scène de carnaval

plume et encre brune, lavis brun
H 0,221/227 ; L 0,406/413
Musée du Louvre, Cabinet des dessins
Inventaire 6895

historique

Collection André-Charles Boulle ? ;
collection Mariette au moins dès 1740 ;
vente Mariette, 1775, sous le n° 147 ;
acquis pour le Cabinet du Roi.

bibliographie

Lugt 1921, p 336 ;
Buscaroli 1935, p 278 ;
Bottari 1966, pl II ;
Viatte dans catalogue d'exposition
Paris 1967, p 69, n° 70 ;
Roli 1968, p 33, note 14 ;
Bean 1969, p 430 ;
Mahon 1969, pp 180, 186 n° 189 ;
Roli 1972, pp 14, 18 ;
Bacou 1981, p 253 ;
Bagni 1984, pp 23, 24 fig 20.

expositions

Paris 1811, n° 155 ;
1815, n° 122 ; 1817 et 1818, n° 150 ;
1820, n° 179 ; 1838, 1841 et 1845, n° 297 ;
Paris 1967, n° 70 ;
Bologne 1968, n° 189.

Un village mis au pillage

plume et encre brune, lavis brun
H 0,241 ; L 0,422
Musée du Louvre, Cabinet des dessins
Inventaire 6896

historique

Collection André-Charles Boulle ? ;
collection Mariette, au moins dès 1740
vente Mariette, 1775, sous le n° 147 ;
acquis pour le Cabinet du Roi.

bibliographie

Lugt 1921, p 336 ;
Buscaroli 1935, p 278 ;
Viatte dans catalogue d'exposition
Paris 1967, p 70 ;
Bean 1969, p 430 ;
Mahon 1969, pp 180, 187 n° 190 ;
Roli 1972, pp 14, 18 pl 6 ;
Bacou 1981, p 253 ;
Bagni 1984, pp 23, 25 fig 21.

expositions

Paris 1811, n° 156 ;
1815, n° 123 ; 1817 et 1818, n° 151 ;
1820, n° 180 ; 1838, 1841 et 1845, n° 298 ;
Bologne 1968, n° 190 ;
Paris 1978-1979, n° 32.

Scène de pendaison

plume et encre brune, lavis brun
H 0,153 ; L 0,272
Paris, École Nationale Supérieure
des Beaux-Arts
Inventaire M 2322

Ces deux pendants proviendraient, selon l'inscription figurant sur le cartouche du **cat 49**, de la collection du célèbre ébéniste André-Charles Boulle mort en 1732. Ce cartouche porte la date de 1720, probablement celle à laquelle Mariette entra en possession de ces dessins : ils ont pu quitter la collection de dessins de Boulle lorsqu'un incendie la ravagea en 1720 et provoqua sa dispersion lors d'une vente. Peut-être les exemples les plus précoces de paysages du Guerchin que nous connaissions, ces deux dessins ont été mis en rapport avec les décors de la Casa Pannini à Cento (1615-1617) où les Chambres des Saisons, notamment, montrent des scènes peintes d'esprit très voisin de ces deux dessins. Les peintures de ces pièces, aujourd'hui détachées et pour la plupart conservées à la Pinacothèque de Cento, ne sont pas de la main du Guerchin mais ont été exécutées par des suiveurs qui auraient pu utiliser des dessins du maître comparables à ceux-ci. Une copie du **cat 49** est conservée à l'Albertina de Vienne.

historique
Donation Jean Masson, 1925.

exposition
Paris 1937, n° 81.

bibliographie
Bagni 1985, p 47 n° 29.

Rien ne prouve que ce dessin fasse allusion à un événement réel que le Guerchin aurait saisi sur le vif. Moins tragique que l'épisode similaire gravé par Jacques Callot dans le recueil des *Misères de la guerre* (1633), il ne montre pas les horreurs que provoquait, à son époque, la guerre de Trente Ans (1618-1648) qui ravageait alors le nord de l'Europe, mais plutôt l'exécution d'un criminel qu'un prêtre bénit, spectacle sans doute familier au peintre et qu'une foule nombreuse vient regarder.

cat 52

cat 53

cat 54

cat 55

Paysage

plume et encre brune
H 0,288 ; L 0,437
Paris, École Nationale Supérieure
des Beaux-Arts
Inventaire M 2321

historique
Donation Jean Masson, 1925.

exposition
Paris   1937, n° 80.

bibliographie
Bagni   1985, p 34, n° 16.

Paysage

plume et encre brune
H 0,265 ; L 0,415
Musée du Louvre, Cabinet des dessins
Inventaire 6932

historique
Vente Dezallier d'Argenville, 1779, n° 138 ;
collection Saint-Morys ;
saisi à la Révolution dans cette collection.

bibliographie
Arquié-Bruley, Labbé et Bicart-Sée
1987, II, p 158.

Paysage

plume et encre brune
H 0,265 ; L 0,418
Paris, École Nationale Supérieure
des Beaux-Arts
Inventaire M 2317

historique
Donation Jean Masson, 1925.

exposition
Paris   1937, n° 76.

Paysage avec cavalier

plume et encre brune
H 0,195 ; L 0,235
Musée du Louvre, Cabinet des dessins
Inventaire 6933

historique
Collection Mariette ;
vente Mariette, 1775, n° 154-3 ;
collection Saint-Morys ;
saisi à la Révolution dans cette collection.

bibliographie
Bacou   1981, p 254 ;
Arquié-Bruley, Labbé et Bicart-Sée
1987, II, p 158.

Paysage

plume et encre brune, lavis brun
H 0,180 ; L 0,265
Musée du Louvre, Cabinet des dessins
Inventaire 6931

historique
Collection Crozat ;
acquis par Mariette à la vente Crozat, 1741 ;
vente Mariette, 1775, n° 154-3 ;
acquis par de Brasse (?) ;
collection Saint-Morys ;
saisi à la Révolution dans cette collection.

bibliographie
Viatte dans catalogue d'exposition
Paris 1967, p 69 ;
Bacou 1981, p 254 ;
Arquié-Bruley, Labbé et Bicart-Sée
1987, II, p 157.

Tout au long de sa carrière, le Guerchin exécuta des dessins de paysages qui se démarquent de son activité principale, la production de tableaux de figures, par leur caractère gratuit, à l'écart de toute perspective de gains financiers. En effet, s'il peignit quelques tableaux de ce genre dans sa jeunesse, il ne traita le paysage pendant le reste de sa carrière que sous la forme accessoire d'échappées lointaines dans ses compositions peintes, et sans que des dessins de paysages conservés puissent leur être rattachés. Le paysage peint en tant que tel était, il est vrai, encore considéré comme un genre secondaire à son époque mais il nous est cependant parvenu un nombre de paysages dessinés de sa main plus important que pour aucun artiste italien de son siècle, à l'exception de Giovanni Francesco Grimaldi qui se spécialisa dans ce genre. L'exécution de ces dessins, conçus comme une fin en soi, correspondait certainement chez lui à un besoin profond, motivé avant tout par l'attachement réel qui liait le peintre à sa ville de Cento et à son terroir. Plusieurs de ses dessins semblent en effet pris sur le modèle et s'inspirer de sites réels, où des personnages, qui pourraient être les paysans dont il décrivait l'activité dans ses scènes de genre ou ses caricatures, se livrent à leurs activités (**cat 52-55**). D'autres, au contraire, semblent tirés de son imagination, incorporant des éléments tirés de vues réelles en les juxtaposant de manière plus fantaisiste dans des compositions fictives s'apparentant à des vues réelles (**cat 56**). La plupart de ses dessins sont exécutés simplement à la plume mais il eut parfois recours au lavis, en l'utilisant pour suggérer l'espace ou les effets lumineux (**cat 56**). Ces procédés, et d'autres comme l'indication du relief par les jeux de hachures (**cat 53**), furent utilisés tout au long de sa carrière de dessinateur de paysages dans laquelle il est difficile de distinguer une séquence chronologique. Très tôt admirés, les dessins de paysages du Guerchin furent très recherchés des amateurs, au point qu'un faussaire professionnel actif dans la seconde moitié du XVIIIe siècle exécuta par centaines des dessins reprenant des éléments du répertoire figuratif du maître et qui, jusqu'à une époque récente, étaient couramment confondus avec les siens **[121]**.

121 Bagni 1985

Albenas G d'
Catalogue du musée Fabre
Montpellier, 1904

Amiet Pierre
« Nouvelles présentations. Musée de Chambéry »
La Revue des Arts
1960, n° 3, pages 141-148

Antonini Annibale
*Mémorial de Paris et de ses environs
à l'usage des voyageurs*
Paris, 1744

Armand-Calliat L
Vivant Denon
Chalon-sur-Saône, 1964

Arquié-Bruley Françoise, **Labbé** Jacqueline
et **Bicard-Sée** Lise
*La collection Saint-Morys
au Cabinet des dessins du Louvre*
Paris, 1987

Askew Pamela
« The angelic consolation of St. Francis of Assisi
in post-tridentine italian painting »
Journal of the Warburg and Courtauld Institute
XXXII, 1969, pages 280-306

Atti Gaetano
Sunto storico della città di Cento
Cento, 1853

*Intorno alla vita e alle opere
di Gianfrancesco Barbieri detto il Guercino da Cento*
Rome, 1861

Aumale Henri d'Orléans duc d'
*Inventaire de tous les meubles du cardinal Mazarin
dressé en 1653 et publié d'après l'original
conservé dans les archives de Condé*
Londres, 1861

Bacou Roseline
*The famous italian drawings from
the Mariette collection at the Louvre in Paris*
Milan, 1981

Bacou Roseline et **Viatte** Françoise
Dessins du Louvre. École italienne
Paris, 1968

Bagni Prisco
*Guercino a Piacenza
Gli affreschi della cupola della Cattedrale*
Bologne, 1983

*Guercino a Cento
Le decorazioni di Casa Pannini*
Bologne, 1984

*Il Guercino e il suo falsario
I disegni di paesaggio*
Bologne, 1985

Benedetto Gennari e la bottega del Guercino
Bologne, 1986

Il Guercino e i suoi incisori
Rome, 1988

Barbanti Grimaldi Nefta
Il Guercino
Bologne, 1968

Baruffaldi Girolamo
Visita delle pitture della terra di Cento
manuscrit, Cento, Biblioteca communale, 1754

Vite de' pittori e scultori ferraresi
Ferrare, 1844-1846

Bean Jacob
« Guercino as a draughtsman »
Master Drawings
VII (1969), pages 428-431

Bean Jacob et **Stampfle** Felix
*Drawings from New York collections II.
The Seventeenth Century in Italy*
(Catalogue d'une exposition
de la Pierpont Morgan Library) New York, 1967

Béguillet, Guettard et de **Laborde**
Voyage pittoresque de la France
Paris, 1784-1792

Benati Daniele
« La pittura della prima metà del Seicento
in Emilia e in Romagna »
La pittura in Italia. Il Seicento
Milan, 1989, I, pages 216-247

Benedict Christian
*La peinture européenne dans le musée d'art
de la République socialiste de Roumanie*
Bucarest, 1970

Bergeon Ségolène
Catalogue de l'exposition de Paris, 1980

Bertin Georges-Eugène
« Notice sur l'hôtel de La Vrillière et de Toulouse
occupé depuis 1810 par la Banque de France »
*Mémoires de la Société de l'Histoire de Paris
et de l'Ile-de-France*
XXVIII, 1901, pages 1-36

Berthier Philippe
Stendhal et ses peintres italiens
Genève, 1977

Bialostocki Jan
« Guercino i jego sw. Franciszek z aniolem grajacym »
Rocznik Muzeum Narodowego w Warszowie
(Annuaire du Musée national de Varsovie)
II, 1957, pages 681-705
Résumé en français: « Le Guerchin et son St. François
avec l'ange musicien », pages 704-705

Bialostocki Jan et **Walicki** Michal
*Europäische Malerei in polnischen Sammlungen.
1300-1800*
Varsovie, 1957

Blumer Marie-Louise
« Catalogue des peintures transportées d'Italie
en France de 1796 à 1814 »
Bulletin de la Société de l'Histoire de l'Art Français
1936, pages 244-348

Boinet Amédée
Les églises parisiennes
Paris, 1958-1964

Bombourg Jean de
*Recherches curieuses de la vie de Raphaël Sanzio
d'Urbin... et un petit recueil des plus beaux
tableaux de Lyon*
Lyon, 1675

Bonfait Oliver
« Le public du Guerchin. Recherches sur
le marché de l'art à Bologne au XVIIe siècle »
à paraître dans la *Revue d'histoire moderne
et contemporaine* et en traduction italienne
dans *Storia dell'Arte*

Bonnaffé Edmond
Dictionnaire des amateurs français au XVIIe siècle
Paris, 1884

Borea Evelina
« Guerchin »
Petit Larouse de la Peinture
publié sous la direction de Michel Laclotte
Paris, 1979, II, page 778

Catalogue de l'exposition de Florence,
1975

Both de Tauzia Vicomte L.
*Notice supplémentaire des tableaux exposés
dans les galeries du Musée national du Louvre
et non décrits dans les trois catalogues
des diverses écoles de peinture*
Paris, 1878

Bottari Stefano
*Guercino, Disegni. Scelta e introduzione
di Stefano Bottari, note di Renato Roli
e Anna Ottani Cavina*
Milan, 1966

Bottari Giovanni et **Ticozzi** Stefano
Racolta di lettere sulla pittura ed archittetura
Milan, 1822-1826

Boubli Lizzie
« Les collections parisiennes de peintures
de Richelieu »
Richelieu et le monde de l'esprit
(Catalogue d'une exposition
tenue à la Sorbonne en 1985)
Paris, 1985, pages 102-113

Boyer Ferdinand
« Les collections de François de Laborde-Méreville
(1761-1802) »
Bulletin de la Société de l'Histoire de l'Art Français
(1967) 1968, pages 141-152

« Le retour en 1815 des œuvres d'art enlevées
en Lombardie, en Vénétie et à Modène »
Revue des études italiennes
XVI, janvier-mars 1970, pages 91-103

« Le musée du Louvre après la restitution d'œuvres
d'art à l'étranger et les musées des départements »
Bulletin de la Société de l'Histoire de l'Art Français
(1969) 1970, pages 79-91

Boyer Jean
« Les collections de peinture à Aix-en-Provence
au XVIIᵉ et au XVIIIᵉ siècle »
Gazette des Beaux-Arts
1965, I, pages 91-112

Boyer Jean-Claude et **Volf** Isabelle
« Rome à Paris: les tableaux du maréchal
de Créquy (1638) »
Revue de l'Art
n° 79 (1988), pages 22-41

Brandt L.
*Musée de Saint-Brieuc.
Notices sur les collections de tableaux,
sculptures, gravures*
Saint-Brieuc, 1906

Brejon de Lavergnée Arnauld
« La peinture italienne au XVIIᵉ siècle »
dans A. Brejon de Lavergnée-B. Dorival
*Baroque et classicisme au XVIIᵉ siècle en Italie
et en France*
Genève, 1979

*L'inventaire Le Brun de 1683.
La collection des tableaux de Louis XIV*
Paris, 1987

Brejon de Lavergnée Arnauld et
Thiébaut Dominique
*Catalogue sommaire illustré des peintures
du musée du Louvre.
II. Italie, Espagne, Grande-Bretagne et divers*
Paris, 1981

Brejon de Lavergnée Arnauld et **Volle** Nathalie
*Musées de France.
Répertoire des peintures italiennes du XVIIᵉ siècle*
Paris, 1988

Brice Germain
*Description nouvelle de tout ce qu'il y a de plus
remarquable dans la ville de Paris*
9ᵉ édition, Paris, 1752

Brienne Louis-Henri Loménie de
*Le catalogue de Brienne (1662) annoté par
Edmond Bonnaffé*
Paris, 1873

Briganti Giuliano
Pietro da Cortana o della pittura barocca
2ᵉ édition, Florence, 1982

Brosses Charles de
Lettres familières sur l'Italie
édition Y. Bézard, Paris, 1931

Buscaroli Rezio
La pittura di paesaggio in Italia
Bologne, 1935

Calegari Grazia
« Capella Nolfi e Chiesa di S. Pietro in Valle »
dans Aldo Deli
Fano nel Seicento
Fano, 1989, pages 139-166

Calvi Jacopo Antonio
*Notizie della vita e delle opere del Cavaliere Gio.
Francesco Barbieri detto Il Guercino da Cento*
Bologne, 1808
réédité dans Malvasia, 1841, II, pages 275-343

Campori Giuseppe
*Gli artisti italiani e stranieri negli Stati Estensi.
Catalogo storico*
Modène, 1855

Raccolta di cataloghi ed inventarii inediti
Modène, 1870

Cantarel-Besson Yveline
La naissance du Musée du Louvre
Paris, 1981

Carlier Yves
« Les Cabinets du Grand Dauphin au château
de Versailles. 1684-1711 »
Bulletin de la Société de l'Histoire de l'Art Français
(1987) 1989, pages 45-54

Carotti Jules
Musée de Chambéry. Catalogue raisonné
Chambéry, 1911

Castellani G.
« Saggio di bibliografia per la storia delle arti a Fano »
Rassegna bibliografica dell'arte italiana
III, 1900, pages 53-67

Celano Carlo
*Notizie del bello, dell'antico
e del curioso della città di Napoli*
Naples, 1692

Cellini Marisa
« Guercino/Barbieri, Giovan Francesco »
La pittura in Italia. Il Seicento
Milan, 1989, II, pages 772-773

Chaix A (édité par)
*Inventaire général des œuvres d'art décorant
les édifices du département de la Seine*
Paris, 1879-1889

Chennevières Philippe de
*Notice des tableaux appartenant à la collection du Louvre
exposés dans les salles du palais de Fontainebleau*
Paris, 1881

Claparède Jean
Catalogue du musée Fabre
dactylographié, Montpellier, 1968

Clément de Ris Louis
Les musées de Province
Paris, 1859-1861
2ᵉ édition, Paris, 1872

Cochin Charles-Nicolas
Voyage d'Italie ou recueil de notes
Paris, 1758

Lettres à un jeune peintre
éditions Gault de Saint-Germain, Paris, 1836

Coldagelli Ugo
« Boncompagni, Ugo »
Dizionario biografico degli italiani
11, Rome, 1969, pages 694-695

Coligny Ch.
« L'hôtel de Toulouse »
L'Artiste
1866, pages 126-132

Comitato Cento
Gian Francesco Barbieri detto il Guercino (1591-1666).
A cura del Comitato communale per la celebrazione
del III Centenario della morte del pittore centese
Cento, 1966

Communaux Eugène et **Demonts** Louis
« Emplacement actuel des tableaux du musée
du Louvre catalogués par Frédéric Villot »
Bulletin de la Société de l'Histoire de l'Art Français
1914, pages 65-125 ; 208-287

Constans Claire
« Les tableaux du Grand appartement du Roi »,
La Revue du Louvre et des Musées de France
1976, n° 3, pages 157-173

Musée national du château de Versailles.
Catalogue des peintures
Paris, 1980

Cosnac Gabriel-Jules
Les richesses du Palais Mazarin
Paris, 1884

Cotté Sabine
« Inventaire après décès
de Louis Phélypeaux de La Vrillière »
Archives de l'Art Français
XXVII, 1985, pages 89-100

« Un exemple du "goût italien" :
la galerie de l'hôtel de La Vrillière à Paris »
dans catalogue d'exposition Paris, 1988-1989,
pages 39-46

« La Galerie La Vrillière »
F M R
n° 19, 1989, pages 25-34

Croze-Magnan S.-C.
Le Musée Français.
Recueil complet des tableaux, statues et bas-reliefs
qui composent la collection nationale
Paris, 1803

Cummings Frederick J
« The Assumption of the Virgin by Guercino »
Bulletin of the Detroit Institute of Arts
51, n° 2-3, 1972, pages 53-62

Cuzin Jean-Pierre
Catalogue de l'exposition de Paris, 1977

D'Arco Carlo
Delle arti e degli artefici di Mantova
Mantoue, 1857

Dehio Georg
Verzeichnis der Städtischen Gemälde Sammlung
in Strasburg
Strasbourg, 1903
réédition G. Dehio et E. Polaczek, 1912

Descrizione de' Quadri del Ducale Appartamento
di Modena
Modène, 1784

Deseine François
Description de la ville de Rome
Lyon, 1690

Nouveau voyage d'Italie
Paris, 1699

Dezallier d'Argenville Antoine-Joseph
Abrégé de la vie des plus fameux peintres
2ᵉ édition, Paris, 1762

Dezallier d'Argenville Antoine-Nicolas
Voyage pittoresque de Paris
Paris, 1749

Dimier Louis
« Le Louvre invisible »
Les Arts
n° 128, août 1912, pages 2-24

Dirani Maria Teresa
« Mecenati, pittori e mercato dell'arte nel Seicento.
Il "Ratto di Elena" di Guido Reni e
la "Morte di Didone" del Guercino nella
corrispondenza del cardinale Bernardino Spada »
Ricerche di Storia dell'Arte
16 (1982) pages 83-94

Dulaure Jacques-André
Nouvelle description des curiosités de Paris
2ᵉ édition, Paris, 1785

Engerand Ferdinand
Inventaire des tableaux du Roy rédigé en 1709 et
1710 par Nicolas Bailly
Paris, 1899

Inventaire des tableaux commandés et achetés
par la Direction des Bâtiments du Roi (1709-1792)
Paris, 1900

Escoffre Christiane
Peintures italiennes du Musée des Beaux-Arts
de Marseille
Marseille, 1984

Félibien André
Entretiens sur les vies et les ouvrages
des plus excellents peintres anciens et modernes
Paris, 1666-1688

Noms des peintres les plus célèbres
Paris, 1679

Tableaux du cabinet du Roy.
Statues et bustes antiques des maisons royales
I, Paris, 1677 ; seconde partie, sans les commentaires
des planches, publiée sous le titre
Tableaux du Roy... Second volume
Paris, 1686

Feray Jean
« L'hôtel Tannevot et sa décoration attribuée
à Nicolas Pineau »
Bulletin de la Société de l'Histoire de l'Art Français
(1963) 1964, pages 69-84

Fernier Robert
La vie et l'œuvre de Gustave Courbet
Lausanne-Paris, 1977

Ferrari Oreste
« L'iconografia dei filosofi antichi nella pittura
del secolo XVII in Italia »
Storia dell'Arte
n° 57 (1986), pages 103-182

« Le arti figurative »
Storia di Napoli
Cava dei Tirreni, 1970, IV, 2, pages 1223-1363

Filhol et **Lavallée** Joseph
Galerie du Musée Napoléon
Paris, 1804-1828

Fohr Robert
« Salomé du Guerchin. Étude de tableau »
Beaux-Arts Magazine
n° 59, août 1988, pages 60-64

Fry Roger
Letters of Roger Fry
édition D. Sutton, Londres, 1972

Furcy-Raynaud Marc
« Les tableaux et objets d'art saisis chez les émigrés
et condamnés et envoyés au Muséum Central »
Archives de l'Art Français
1912, pages 245-335

Gaethgens Thomas et **Lugand** Jacques
Joseph-Marie Vien.
Peintre du Roi (1716-1806)
Paris, 1988

Garas Klara
« The Ludovisi collection of pictures in 1633 »
The Burlington Magazine
CIX, mai 1967, pages 287-289, juin 1967, pages 339-348

Garms Jörg
Quellen aus dem Archiv Doria Pamphilj
zur Kunsttätigkeit in Rom unter Innocenz X
Rome-Vienne, 1972

Gastinel Coural Chantal.
« Nouvelles de l'Art »
Revue de l'Art
n° 4, 1969, pages 99-112

Gelli Giovanni Battista
La Circe di Giovan Battista Gelli
Florence, 1549

Giovannucci Vigi Berenice
« La chiesa del SS. Rosario a Cento »
dans Cento, 1988, pages 79-90

Gnudi Cesare
« Introduzione » dans Mahon
1968, pages XIX-L

Gould Cecil
Trophy of conquest. The Musée Napoléon
and the creation of the Louvre
Londres, 1965

The paintings of Correggio
Londres, 1976

Gowing Lawrence
Les peintures du Louvre
Paris, 1988

Gozzi Fausto
Notices des tableaux du Guerchin dans
La Pinacoteca Civica di Cento.
Catalogo generale
Bologne, 1987

Grimaldi Nefta
Il Guercino
Bologne, 1957

Griseri Andreina
« Un disegno inedito del Guercino giovane »
Paragone
n° 103, (1958), pages 71-72

« Luca Giordano alla maniera di... »
Arte antica e moderna
13-16, 1961, pages 417-438

Gruyer François-Anatole
Voyage autour du Salon Carré au Musée du Louvre
Paris, 1891

Guiffrey Jules
« Lettre du cardinal Spada à Marie de Médicis
au sujet de la galerie du Luxembourg »
Nouvelles Archives de l'Art Français
1876, pages 252-254

« Négociation pour l'acquisition de
la Résurrection de Lazare par le Guerchin. 1780-1786 »
Nouvelles Archives de l'Art Français
1879, pages 165-177

Comptes des Bâtiments du roi sous le règne
de Louis XIV. II. 1681-1687
Paris, 1887

« Inventaire du mobilier et des collections antiques
et modernes du cardinal de Polignac (1738) »,
Nouvelles Archives de l'Art Français
1899, pages 252-297

Guiffrey Jules et **Tuetey** Alexandre
« La Commision du Muséum
et la création du Musée du Louvre (1792-1793) »
Nouvelles Archives de l'Art Français
1909, pages 379-420

Guillaume Marguerite
Catalogue raisonné du musée des Beaux-Arts de Dijon.
Peintures italiennes
Dijon, 1980

Guizot François
Étude sur les beaux-arts en général
Paris, 1852

Haffner Christel
« La Vrillière, mécène et collectionneur » dans
catalogue d'exposition Paris, 1988-1989, pages 29-38

Haskell Francis
Patrons and painters.
A study in the relation between art and society
in the age of the Baroque
2ᵉ édition, Londres-New Haven, 1980

Haug Hans
Musée des Beaux-Arts de Strasbourg.
Catalogue des peintures anciennes
Strasbourg, 1938

Hautecœur Louis
Musée national du Louvre.
Catalogue des peintures exposées dans les galeries. II.
École italienne et école espagnole
Paris, 1926

Louis David
Paris, 1954

Heil W.
« A painting by Guercino »
Bulletin of the Detroit Institute of Arts
VIII, avril 1927, pages 77-78

Hoffman Edith
« Ujabb Meghatarozasok a Rajzgyüteményben »
(Neuere Bestimmungen in der Zeichnungssammlung)
Az Orszagos Magyar Szépmüveszety Muzeum Evkönyvei
(Jahrbücher des Museums der bildenden Künsten
in Budapest
IV (1929-1930), pages 129-206

Hoog Michel
« Attributions anciennes à Valentin »
La Revue des Arts
1960, n° 6, pages 267-278

Hurtaut Pierre-Thomas-Nicolas et **Magny** N
Dictionnaire historique de la ville de Paris
et de ses environs
Paris, 1779

Johnston Catherine
I disegni dei maestri.
Il Seicento e il Settecento a Bologna
Milan, 1970

Catalogue de l'exposition de Florence, 1973

Joubin André
Catalogue du Musée Fabre
Montpellier, 1926

Klingsor Tristan
« Un grand dessinateur méconnu : le Guerchin »
L'Amour de l'Art
septembre 1931, n° 9, pages 349-356

Laclotte Michel et **Cuzin** Jean-Pierre
Le Louvre.
La peinture européenne
Paris, 1982

Lafenestre Georges et **Michel** Ernest
« Musée de Montpellier »
Inventaire général des richesses d'Art de la France.
Province. Monuments civils
I, Paris, 1878, pages 192-381

Lalande Joseph-Jérôme de
Voyage d'un Français en Italie
2ᵉ édition, Paris, 1786

Lalanne Ludovic
Journal de voyage du cavalier Bernin en France
par M. de Chantelou (1665),
manuscrit inédit publié et annoté par L. Lalanne
Paris, 1885

Landon Charles-Paul
Annales du Musée
Paris, 1800-1817;
2ᵉ édition, Paris, 1823-1834

Laudet Fernand
L'hôtel de Toulouse, siège de la Banque de France
Paris, 1932

Laurent Henri
Le Musée Royal ou recueil de gravures
d'après les plus beaux tableaux, statues et bas-reliefs
de la collection royale
Paris, 1816

Lazarelli Mauro Alessandro
Pitture delle chiese di Modena
manuscrit, Modène,
Biblioteca Estense, 1714

Lebrun Jean-Baptiste-Pierre
Examen historique et critique des tableaux exposés provi-
soirement venant des premiers et seconds envois de Milan,
Crémone, Parme, Plaisance, Modène, Cento et Bologne
Paris, 1798

Le Comte Florent
Cabinet des singularitez d'architecture,
peinture, sculpture et gravure
Paris, 1699-1700

Lehman Jürgen
Staatliche Kunstsammlungen Kassel Gemäldegalerie
Alte Meister. Katalog, I.
Italienische, französische und spanische Gemälde
des 16. bis 18. Jahrunderts
Fridingen, 1980

Lelièvre Pierre
Vivant Denon directeur des Beaux-Arts de Napoléon
Paris, 1942

Lépicié François-Bernard
Catalogue raisonné des tableaux du Roy
avec un abrégé de la vie des peintres
Paris, 1752-1754

Lescallier Antoine
Poème sur la peinture en sept chants
Londres, 1778

Levey Michael
The later italian pictures in the collection
of Her Majesty the Queen
Londres, 1964

Ley Francis
Voyage en Italie du baron de Krudener en 1786
Paris, 1983

Loire Stéphane
« Le Guerchin et la France : quelques tableaux
peu connus »
La Revue du Louvre et des Musées de France
1988, nᵒ 4, pages 307-319

« La *Circoncision*
du Guerchin au musée des Beaux-Arts de Lyon »
Bulletin des Musées et Monuments Lyonnais
1988, nᵒ 2, pages 22-38.

Notices « Guerchin » dans catalogue d'exposition
Paris, 1988-1989, pages 241-247

« Études récentes sur le Guerchin »
à paraître en *1990* dans *Storia dell'Arte*

Longhi Roberto
« The climax of Caravaggio's influence on Guercino »
Art in America
XIV, 1926, pages 133-148 ;
réédité sous le titre
« Tangenze caravaggesche nel Guercino »
Opere complete. II. Saggi e ricerche. 1925-1928.
Florence, 1967, pages 27-34.

« Un ignoto corrispondente del Lanzi
sulla galleria di Pommersfelden »
Proporzioni
III (1950), pages 216-230 ;
réédité dans
Opere complete. I. Scritti giovanili. 1912-1922.
Florence, 1961, pages 475-492

« Spuntature alla mostra bolognese del Guercino »
Paragone
nᵒ 225 (1968), pages 63-69

Ludmann Jean-Daniel et **Pons** Bruno
« Nouveaux documents sur la galerie
de l'hôtel de Toulouse »
Bulletin de la Société de l'Histoire de l'Art Français
(1979) 1981, pages 115-128

Lugt Frits
Les marques de collections de dessins et d'estampes
Amsterdam, 1921

Luzio Alessandro
La Galleria dei Gonzaga venduta all'Inghilterra
nel 1627-1628
Milan, 1913

Mahon Denis
Studies in Seicento Art and Theory
Londres, 1947

« The author of a false Lyss — An Englishman ? »
The Burlington Magazine
XCII, avril 1950, pages 98-102

« A plea for Poussin as a painter »
Walter Friedlaender zum 90. Geburtstag
Berlin, 1965, pages 113-142

Notices des dessins dans catalogue d'exposition
Cento, 1967.

Il Guercino. Catalogo critico dei dipinti
Bologne, 1968 (catalogue d'exposition Bologne, 1968)

Il Guercino. Catalogo critico dei disegni
Bologne, 1969 (catalogue d'exposition Bologne, 1968)

« Guercino as a portraitist and his
Pope Gregory XV »
Apollo
113, avril 1981, pages 230-235.

« Guercino and cardinal Serra ;
a newly discovered masterpiece »
Apollo
114, septembre 1981, pages 170-175

Mahon Denis et **Ekserdjian** David
« Guercino drawings from the collection
of Denis Mahon
and the Ashmolean Museum »
The Burlington Magazine
CXXVIII, mars 1986, supplément paginé à part,
pages 3-52.

Mahon Denis et **Turner** Nicholas
The drawings of Guercino in the collection
of Her Majesty the Queen at Windsor Castle
Cambridge, 1989

Mâle Émile
L'art religieux de la fin du XVIᵉ siècle,
du XVIIᵉ siècle et du XVIIIᵉ siècle
Paris, 1972

Malvasia Carlo Cesare
Felsina pittrice. Vite de'pittori bolognesi
Bologne, 1678 ; réédition Bologne, 1841

Marangoni Matteo
« Il vero Guercino »
Dedalo
I, 1920, pages 17-40 ; 133-142

Guercino,
Milan, 1959

Mariette Pierre-Jean
Abecedario et autres notes inédites de cet amateur
sur l'art et les artistes
édition Ph. de Chennevières et A. de Montaiglon,
Paris, 1851-1860

Marini Maurizio
« Schedario di opere inedite,
Giovanni Francesco Barbieri Il Guercino »
Ricerche di Storia dell'Arte
nᵒ 4 (1977), pages 120-147

Ménestrier Claude-François
Les divers caractères des ouvrages historiques
avec le plan d'une nouvelle histoire de la ville de Lyon
Lyon, 1694

Merriman Mira Pajes
Giuseppe Maria Crespi
Milan, 1980

Michel Ernest
*Catalogue des peintures et sculptures exposées
dans les galeries du musée Fabre*
Montpellier, 1879 ; réédition 1890

Mirimonde Albert Pomme de
Sainte Cécile. Métamorphoses d'un thème musical
Genève, 1974

Monconys Balthasar de
Journal des voyages de M. de Monconys
Lyon, 1665-1666

Monicart Jean-Baptiste de
Versailles immortalisé par les merveilles parlantes
Paris, 1720

Montaiglon Anatole de et **Guiffrey** Jules
*Correspondance des directeurs de l'académie de France
à Rome avec la Surintendance des Bâtiments*
Paris, 1887-1912

Monteforti Gianfilippo
Guide des curiosités de Cento
manuscrit en latin, Cento, Archivio comunale, 1755

Moura Sobral Luis de
« Étude d'un dessin du Guerchin »
Revue du musée des Beaux-Arts de Montréal
automne 1974, vol. 6, n° 2, pages 5-18

Mündler Otto
*Essai d'une analyse critique de la notice
des tableaux italiens du Musée national du Louvre*
Paris, 1850

*Notice des principaux tableaux recueillis
dans la Lombardie*
Paris, 1798

*Notice des tableaux de diverses écoles exposés
dans le grand salon du Musée Royal
et dans la salle d'entrée*
Paris, s.d (après 1816)

Nougaret Pierre-Jean-Baptiste
Anecdotes des Beaux-Arts
Paris, 1776

Oretti Marcello
Pitture della Sicilia, di Napoli a dello Stato ecclesiastico
manuscrit, Bologne,
Biblioteca comunale dell'Archiginnasio, 1777-1778

Pagani Gio Filiberto
Le Pitture e Sculture di Modena
Modène, 1770

Papillon de la Ferté Denis-Pierre-Jean
*Extraits des différents ouvrages publiés
sur la vie des peintres*
Paris, 1776

Pasini Pier Giorgio
Catalogue de l'exposition de Rimini-San-Marino,
1987

Passeri Giovanni Battista
*Le vite de' pittori, scultori ed architetti
che hanno lavorato in Roma*
(Vers 1678), Rome, 1772 ;
édition Jacob Hess
Die Künstlerbiographien von Giovanni Battista Passeri
Lepizig-Vienne, 1934

Pellicer Laure
Le peintre François-Xavier Fabre (1766-1837)
Thèse de doctorat d'État,
Université de Paris VI, 1982

Pérez Marie-Félicie
« Le mécénat de la famille Lumague
(branche française) au XVIIᵉ siècle »,
*La France et l'Italie au temps de Mazarin. 15ᵉ colloque
du C.M.R. 17, Grenoble, 25-27 janvier 1985*
Grenoble, 1986, pages 153-165

Perez Sanchez Alfonso
« Giovanni Francesco Barbieri "El Guercino"
(1591-1666) »
Goya
1969, n° 87, pages 274-284

Pernety Antoine-Joseph
Dictionnaire portatif de peinture, sculpture, gravure
Paris, 1767

Piganiol de la Force Jean-Aymar
*Nouvelle description des châteaux
et parcs de Versailles et de Marly*
Paris, 1701

Pigler A
Barockthemen
Budapest, 1974

Pirondini Massimo
Ducale Palazzo di Sassuolo
Gênes, 1982

Posner Donald
« The Guercino exhibition at Bologna »
The Burlington Magazine
CX, novembre 1968, pages 596-607

Posse Hans
*Die Staatliche Gemäldegalerie zu Dresden.
Die Romanischen Landen, Italien, Spanien, Frankreich
und Russland*
Berlin, 1929

Prohaska Wolfgang
Notices dans catalogue d'exposition Francfort,
1988-1989

Quintavalle Armando Ottaviano
La Regia Galleria di Parma
Parme, 1939

Rambaud Mireille
*Documents du Minutier central concernant l'histoire
de l'art (1700-1750)*
Paris, 1964-1971

Ratti Giuseppe
*Istruzione di quanto può
vedersi di più bello in Genova
in pittura, scultura, architettura,*
Gênes, 1780

Réau Louis
Iconographie de l'art chrétien
Paris, 1955-1959

Ricci Seymour Montefiore Robert Rosso de
*Description raisonnée des peintures du Louvre. I.
Italie et Espagne.*
Paris, 1913

Richardson Jonathan
An account of some of the statues... and pictures in Italy
Londres, 1722

Righetti Orazio Camillo
*Le pitture di Cento e le vite in compendio di vari
incisori e pittori della stessa città*
Ferrare, 1768

Roli Renato
I fregi centesi del Guercino
Bologne, 1968

Giovanni Francesco Barbieri, Guercino
Milan, 1972

Rosenberg Pierre
« Nouvelles acquisitions des musées de province.
Acquisitions de tableaux italiens des XVIIᵉ
et XVIIIᵉ siècles »
La Revue du Louvre et des Musées de France
1972, n° 4-5, pages 343-348

Rosenblum Robert
« A new source for David's "Sabines" »
The Burlington Magazine
CIV, avril 1962, pages 158-162

Rouchès Gabriel
Musée du Louvre. Dessins italiens du XVIIᵉ siècle
Paris, s.d. (vers 1927)

*La peinture au musée du Louvre.
Écoles italiennes (XVIᵉ, XVIIᵉ et XVIIIᵉ siècles)*
Paris, 1929

Roux Marcel
*Bibliothèque nationale.
Département des Estampes.
Inventaire du fonds français.
Graveurs du XVIIIᵉ siècle*
VI, Paris, 1949

Ruotolo Renato
« Aspetti del collezionismo napoletano del Seicento »
dans catalogue d'exposition Naples, 1984-1985,
pages 41-48

Russo Daniel
Saint Jérôme en Italie.
Étude d'iconographie et de spiritualité.
XIIIᵉ-XVᵉ siècles
Paris-Rome, 1987

Sabatier Gérard
« Politique, histoire et mythologie.
La galerie en France et en Italie pendant
la première moitié du XVIIᵉ siècle »,
La France et l'Italie au temps de Mazarin
Grenoble, 1986, pages 283-301

Salerno Luigi
I dipinti del Guercino
Rome, 1988

Samoggia Luigi
« Spiritualità a teologica tridentina nell'arte centese »
dans catalogue d'exposition Cento, 1987, pages 39-49

Sauval Henri
Histoire et Recherches des Antiquités de la ville de Paris
Paris, 1724

Scannelli Luigi
Il microcosmo della pittura
Cesena, 1957

Schneegans Ch
« L'ancien musée de peinture et de sculpture
de Strasbourg brûlé à l'Aubette en 1870 »,
La Revue Alsacienne Illustrée
avril 1914, pages 37-54

Scott Barbara
« Notes from France.
Old masters in Paris and the provinces »
Apollo
105, décembre 1977, page 504

Scudéry Georges de
Le Cabinet de Mr de Scudéry
gouverneur de Nostre Dame de la Garde
Paris, 1646

Soli Gusman
« La chiesa di S. Pietro Martire in Modena »
Atti e Memorie della R. Deputazione di Storia Patria
per le Provincie Modenesi
Série V, vol. X, 1917, pages 1-26

Le chiese di Modena
édition G. Bertuzzi, Modène, 1974

Southorn Janet
Power and display in the seventeenth century.
The arts and their patrons in Modena and Ferrara
Cambridge, 1988

Spon Jacob
Recherches des antiquités de la ville de Lyon
Lyon, 1673

Stendhal
École italiennes de peinture.
II. Parme, Venise, Bologne
édition H. Martineau, Paris, 1932

Sumner Ann
« Sir John Charles Robinson.
Victorian Collector and Connoisseur »
Apollo
130, octobre 1989, pages 226-230

Sutton Denis
« The individuality of Guercino »
Apollo
88, novembre 1968, pages 322-239

Tableaux du Roy, gravés aux dépens de divers particuliers.
Second volume,
Paris, 1686

Teodosio Anatolie
Musée d'art de la République socialiste de Roumanie.
Catalogue de la galerie d'art universel.
I. La peinture italienne.
Bucarest, 1974

Teyssèdre Bernard
L'histoire de l'art vue du Grand Siècle
Paris, 1964

Thiéry Luc-Vincent
Guide des amateurs et étrangers voyageant à Paris,
Paris, 1787

Tiraboschi Girolamo
Notizie della Confraternità di San Pietro Martire
in Modena
Modène, 1789

Turner Nicholas
Compte-rendu de Bagni, 1983
The Burlington Magazine
CXXVI, octobre 1984, pages 641-642

« Two drawings by Guercino for his early altarpieces
at Renazzo di Cento »
The Burlington Magazine
CXXX, août 1988, pages 532-534

Tzeutschler Lurie Ann
« Old and modern drawings: a drawing by Guercino »
The Art Quarterly
XXVI, été 1963, pages 217-233
« Guercino's version of the Flight into Egypt
and the Lancellotti tondo »
Bulletin of the Cleveland Museum of Art
1972, pages 93-102

Valogne Catherine
« Le Guerchin. Réhabilitation »
Connaissance des Arts
nº 190, 1968, pages 53-59

Venturi Lionello
La Reale Galleria Estense in Modena
Modène, 1882

« Il Guercino da Cento »
Nuova Antologia
XXXII, 1891, pages 405-426

Verbraeken René
Clair-obscur, histoire d'un mot
Nogent-le-Roi, 1979

Veyran L de
Le musée du Louvre.
Collection de 500 gravures au burin reproduisant
les principaux chefs d'œuvre de la peinture
et de la sculpture au Musée du Louvre
Paris, 1877

Villot Frédéric
Notice des tableaux exposés dans les galeries
du Musée national du Louvre.
1ʳᵉ partie. Écoles d'Italie et d'Espagne
Paris, 1849

Viroli Giordano
La pinacoteca civica di Forli
Forli, 1980

Vitzthum Walter
« The litterature of art. Pietro da Cortona »
The Burlington Magazine
CV, mai 1963, pages 213-217

« La galerie de l'hôtel de La Vrillière »
L'Œil
nº 144, décembre 1966, pages 24-31

Voss Hermann
« Guercino » dans U. Thieme-F. Becker
Allgemeines Lexikon der Bildenden Künstler
Leipzig, XV, 1922, pages 216-222

Waagen Gustav Friedrich
« Quelques notes sur diverses attributions
du catalogue du musée du Louvre »
Revue Universelle des Arts
XXI, 1865, pages 237-250

Wittkower Rudolf
Art and Architecture in Italy. 1600-1750
Harmondsworth (1958) 1980

Bologne 1968
Il Guercino
Bologne, Palazzo dell' Archiginnasio

Bordeaux 1964
La femme et l'artiste, de Bellini à Picasso
Bordeaux, musée des Beaux-Arts
(Catalogue par Gilberte Martin-Méry)

Cento 1967
Omaggio al Guercino
Cento, Pinacoteca comunale

Cento 1988
La « Candida rosa ».
Il Rosario nell'arte centese
ed emiliana dal XVI al XVIII secolo
Cento, Pinacoteca comunale ;
Eglise S. Filippo

Chicago-Minneapolis-Toledo 1970
Painting in Italy in the eighteenth century:
Rococo to Romanticism
Chicago, Art Institute ;
Minneapolis, Minneapolis Institute of Art ;
Toledo, Toledo Museum of Art

Dunkerque-Douai-Lille-Calais-Paris 1985-1986
De Carrache à Guardi.
La peinture italienne des XVIIe et XVIIIe siècles
dans les musées du Nord de la France
Dunkerque, musée de la Chartreuse ;
Douai, musée de la Chartreuse ;
Lille, musée des Beaux-Arts ;
Calais, musée des Beaux-Arts ;
Paris, musée du Luxembourg

Florence 1973
Mostra di disegni bolognesi dal XVI al XVIII secolo
Florence, musée des Offices

Paris 1972
Cent dessins du musée Teylers, Haarlem
Paris, musée du Louvre

Florence 1975
Pittori bolognesi del Seicento nelle gallerie di Firenze
Florence, musée des Offices

Francfort 1988-1989
Guido Reni und Europa. Ruhm und Nachruhm.
Francfort, Schirn Kunsthalle

Lugano-Rome 1989-1990
Pier Francesco Mola. 1612-1666.
Lugano, Museo Cantonale d'Arte ;
Rome, Musei Capitolini

Maisons-Laffitte Paris, 1927
Dessins italiens du XVIIe siècle.
Maisons-Laffitte, Château

Manchester 1857
The Exhibition of the Art Treasures of
the United Kingdom
Manchester

Modène 1986
L'arte degli Estensi.
La pittura del Seicento e del Settecento
a Modena e Reggio.
Modène, Palazzo dei Musei, Galleria Estense
e Galleria Civica.

Naples 1984-1985
Civiltà del Seicento a Napoli
Naples, Museo di Capodimonte, Museo Pignatelli

New York 1989
Important old masters paintings.
Devotion and delight.
New York, Piero Corsini Gallery

Paris AN II, AN V, AN VII, AN X, AN XII,
181b, 1817/1818, 1829, 1838/1841/1845
Expositions de dessins des collections du Louvre
exposés dans les galeries du musée

Paris 1937
Exposition de dessins
italiens de l'École des
Beaux-Arts
Paris, École Nationale
Supérieure des Beaux-Arts

Paris 1946
Peintures méconnues des églises de Paris
Paris, musée Galliéra
(Catalogue par J. Dupont et J. Litzelmann)

Paris 1960
Exposition des 700 tableaux tirés des réserves
Paris, musée du Louvre

Paris 1967
Le Cabinet d'un grand amateur: P.J. Mariette, 1694-1774
Paris, musée du Louvre

Paris 1974-1975
Renaissance du musée de Brest.
Acquisitions récentes
Paris, musée du Louvre

Paris 1977
La diseuse de bonne aventure de Caravage
(Les dossiers du Département des peintures, no 13)
Paris, musée du Louvre

Paris 1978-1979
Le paysage en Italie au XVIIe siècle
Paris, musée du Louvre

Paris 1980
Restauration des peintures
(Les dossiers du Département des peintures, no 21)
Paris, musée du Louvre

Paris 1986
Prud'hon. La Justice et la
Vengeance divine poursuivant le
crime (Les dossiers du Département
des peintures, no 32) Paris, musée du Louvre

Paris 1988-1989
Seicento: le siècle de Caravage
dans les collections publiques françaises
Paris, Grand Palais

Rimini-San Marino 1987
Il Guercino e dintorni.
L'attività e l'influenza di Giovan Francesco Barbieri
a Rimini e a San Marino
Rimini, Sala delle colonne-San Marino, Santa Chiara

Rotterdam 1989-1990
Van Titian tot Tiepolo
(From Titian to Tiepolo)
Rotterdam, musée Boymans-van Beuningen

Rouen 1977
Choix de quelques peintures et dessins
de la donation H. et S. Baderou
Rouen, musée des Beaux-Arts

Rouen 1980
Harmonies des rencontres.
Acquisitions et donations de 1961 à 1978
Rouen, musée des Beaux-Arts

Saint-Denis-Tourcoing-Albi-Auxerre 1988-1989
Salomé dans les collections publiques françaises

Saint-Denis, Musée d'Art et d'Histoire
Tourcoing, musée des Beaux-Arts
Albi, musée Toulouse-Lautrec
Auxerre, musée d'Art et d'Histoire

crédits photographiques
Réunion des musées nationaux
et institutions citées,
tous droits réservés

conception graphique
Christophe Ibach

photocomposition
Eurocomposition   Sèvres

photogravure
Jacques London   Paris

achevé d'imprimer
le 28 mai 1990
sur les presses de
l'imprimerie Jourdan
à Paris

dépôt légal
mai 1990
ISBN 2-7118-2327-X
EC 20 2327